# MARIA CZUBASZEK
## Ostatni dymek

Projekt okładki
Paweł Panczakiewicz/PANCZAKIEWICZ ART.DESIGN

Zdjęcie na okładce
Grażyna Gudejko/Studio Gudejko, sesja wykonana dla firmy Hairlab.

Zdjęcia wewnątrz książki
Michał Dębiński/Forum, Roman Kotowicz/Forum,
Bohdan Majewski/Forum, Jan Bogacz/Forum, Krzysztof Kuczyk/Forum,
Maciej Zienkiewicz/Agencja Gazeta

Korekta
Beata Saracyn

Skład
Tomasz Erbel

**Wydawca**
**Czerwone i Czarne Sp. z o.o. S.K.A.**
**Rynek Starego Miasta 5/7 m. 5**
**00-272 Warszawa**

Druk i oprawa
Toruńskie Zakłady Graficzne
„Zapolex" Sp. z o.o.
ul. gen. Sowińskiego 2/4
87-100 Toruń

Wyłączny dystrybutor
Firma Księgarska Olesiejuk Sp. z o.o. sp. j.
ul. Poznańska 91
05-850 Ożarów Mazowiecki
www.olesiejuk.pl

ISBN   978-83-7700-272-8

Warszawa 2017

*Książkę wydrukowano na papierze Hi Bulk 53 g vol. 2.4*
*dostarczonym przez Zing Sp. z o.o.*

ZING
www.zing.com.pl

# MARIA CZUBASZEK
## Ostatni dymek

## Wspomnienia zebrał
## Sergiusz Pinkwart

Warszawa 2017

# Zamiast wstępu

**P**rzepraszam, że ja tak ciągle o tej śmierci, ale to mój ulubiony temat. – Pani Maria sięgnęła po papierosa i pstryknęła zapalniczką. – Właściwie to nie mam z tym żadnego problemu. Mogłabym umrzeć choćby dziś, ale martwi mnie jedna rzecz. Jak już umrę, to będę musiała rzucić palenie, prawda? A palić bardzo lubię... – Chciwie wciągnęła dym, a po chwili wypuściła z płuc czarną, gryzącą chmurę.

Wstrzymałem oddech, czekając, aż stężenie nikotyny w ciasnym, ciemnym pokoiku nieco się obniży. Była wczesna jesień 2015 roku. Od pół roku pracowaliśmy wspólnie nad książką. Dziś miało być nasze ostatnie spotkanie. Oczywiście żadne z nas nie wiedziało, co nam przyniesie przyszłość, że ścigamy się z czasem, bo za pół roku ja będę już mieszkał w Anglii, a pani Maria odejdzie na zawsze – w nicość – jak wówczas uważała.

Ale tego dnia jeszcze oboje staraliśmy się wykrzesać z siebie jak najwięcej. Pani Maria przyjęła mnie ogromną porcją lodów, przyniesionych w plastikowym pudełku z supermarketu. Nie przepadałem za lodami, ale alternatywą były parówki.

Niczego więcej Maria Czubaszek nie miała w lodówce, a zawsze, gdy do niej przychodziłem, czuła się w obowiązku, by mnie czymś ugościć. Piłem więc herbatę, jadłem roztapiające się lody i wdychałem smoliste opary papierosów. W maleńkim pokoiku mieściły się dwa fotele, niski stolik, masa szafek ze szpargałami i telewizor. Co kilka minut pani Maria łapała pilota i pogłaśniała dźwięk. Jednym uchem słuchała wiadomości, czasem coś komentując, jakby trenowała przed wieczornym wystąpieniem w *Szkle kontaktowym*. Gdy miała dobry humor, włączała lampkę, która rzucała na ścianę i czarny otwór drzwi setki kolorowych plamek. To prezent od najbliższego przyjaciela rodziny – Artura Andrusa, który pracował z nią wytrwale przy jej poprzednich książkach i przyniósł do tej wiecznie zadymionej świątyni promień światła, zapewne po to, by nie oszaleć. Bo pani Maria w ciemności i nikotynowym dymie czuła się doskonale. Z ogromnym sentymentem wspominała czasy, gdy niczym ćma barowa spędzała wszystkie wieczory, krążąc po kultowym warszawskim „szlaku hańby" – od SPATiF-u do Ścieku. Jako „dziewczyna z radia", atrakcyjna nie tylko swoją błyskotliwą inteligencją, ale i subtelną urodą, była adorowana przez ówczesny kwiat inteligencji warszawskich salonów lat sześćdziesiątych i siedemdziesiątych. Dobrowolski, Minkiewicz, Przybora, Iredyński, Kofta, Janczarski... Swoje poczucie humoru ostrzyła, słuchając szermierki słownej dawnych mistrzów. To dlatego trudno ją było w naszych czasach czymkolwiek zaskoczyć. Ktoś po takiej szkole w XXI wieku mógł się nudzić, słuchając wywodów polityków czy celebrytów.

Gdy zaczynaliśmy nasze spotkania, marzyło mi się wyciągnięcie od Marii Czubaszek barwnych opowieści o ludziach, z którymi przyszło jej żyć i pracować, zarówno w tamtych kolorowych czasach, jak i teraz. Jednak po kilku spotkaniach mój plan zaczął się niebezpiecznie sypać. Zamiast krwistych, skrzących się od anegdot portretów dostawałem ciąg dygresji o niezwykłym życiu i osobie, która wyłamywała się ze wszystkich schematów – zarówno w PRL-u, jak i we współczesnej III RP. Pani Maria w swoich opowieściach żonglowała faktami, czasami tę samą historię opowiadając mi kilkukrotnie, zmieniając tylko daty i nazwiska. W pewnym momencie zrozumiałem, że nie ma co upierać się przy swoim pomyśle, skoro dostaję na tacy coś, co jest dużo bardziej „Czubaszkowe". Tak powstała książka *Dzień dobry, jestem z kobry, czyli jak stracić przyjaciół w pół minuty i inne antyporady*. Dla tych z Państwa, którzy nie mieli jeszcze okazji jej przeczytać, mamy niespodziankę – tekst zamieszczamy w drugiej części tej książki.

Nie wiem, czy sama Maria Czubaszek zdawała sobie sprawę z tego, że w pewnym momencie zaczęliśmy pisać inną książkę. Oczywiście mówiłem jej to kilkukrotnie, a ona machinalnie przytakiwała. Ale myślami była zupełnie gdzie indziej. Próbowałem ją przekonać, by choć przeczytała gotowe rozdziały.

Przynosiłem stosy kartek i kładłem jej na stoliku. Jestem pewny, że do nich nawet nie zajrzała.

Motywem, który przewijał się od początku, od naszego pierwszego spotkania, była śmierć. Maria była zafascynowana tematem umierania. Może dlatego, że kiedyś próbowała sama sobie odebrać życie? A może dlatego, że większość jej przyjaciół (zarówno ludzi, jak i ukochanych psów) była już po tej „drugiej stronie"? Śmierć była dla niej zawsze atrakcyjnym tematem i punktem wyjścia do niezliczonych anegdot. W kwestiach eschatologicznych była raczej niewierząca. Nie spodziewała się zmartwychwstania, anielskich trąb, nieba, czyśćca czy piekła. Już bardziej była skłonna uwierzyć w zbawienie psów niż ludzi. Z drugiej strony – kompletna niekonsekwencja – w jakiś sposób cieszyła się, że dołączy do swoich bliskich.

Nie znosiła pogrzebów i nigdy na nie nie chodziła. Z lekkim wstydem przyznawała, że nie odwiedzała nawet umierających przyjaciół. Może w ten sposób oddalała od siebie myśl o nieodwracalności śmierci? Mniej cierpiała, gdy odchodzili ludzie jej bliscy? Wmawiała sobie, że po prostu wyjechali albo są bardzo zajęci i nie mają czasu się spotkać ani nawet odebrać telefonu? Na pewno chciała ich zapamiętać w szczycie formy, przede wszystkim intelektualnej. Myśl, że zobaczy kogoś znajomego przykutego do szpitalnego łóżka, bezsilnego, przyłączonego do aparatury podtrzymującej wątłe, uciekające życie, ją przerażała. Swojej śmierci się nie bała. Co najwyżej tego, że będzie kłopotem dla ukochanego męża. Podświadomie czuła, że odejdzie pierwsza, a on, pozostawiony sam, będzie cierpiał, albo – co jeszcze gorsze – bezradny artysta nie poradzi sobie z trudnościami dnia codziennego.

No i jeszcze te nieszczęsne papierosy. To może się wydawać komiczne, ale ona naprawdę martwiła się, że choroba pozbawi ją przyjemności palenia. Do szaleństwa doprowadzała ją myśl, że umrze i będzie leżeć w grobie, niezdolna do zapalenia papierosa.

– Ile czasu trzeba, żeby robaki zaczęły się dobierać do ciała, które leży zamknięte w szczelnej trumnie? – zapytała mnie podczas naszego ostatniego spotkania, a ja poczułem, że po plecach przeszedł mi dreszcz.

– Pani Mario, nie musi pani leżeć w trumnie. Przecież można poprosić o kremację.

– To na pewno legalne? – upewniła się, sięgając po kolejnego papierosa. – Słyszałam, że Kościół jest raczej „nie tego" w sprawie kremacji.

– To legalne i coraz bardziej popularne. Pozostaje po ciele kupka popiołu, którą zamyka się w urnie, i to wszystko. Żadnych robaków. Żadnego dźwigania trumny przez czterech podpitych osiłków. Czysto i szybko.

Zamyśliła się, smakując dym z papierosa.

– Czyli jest szansa...?

– Na co?

– Na to, że po śmierci jeszcze raz puszczę dymka.

Roześmiała się, zadowolona, jak gdyby już zdecydowała, że zrobi śmierci ostatni, sztubacki dowcip.

Cała Maria Czubaszek.

*Sergiusz Pinkwart*

# Część I
## Wyszłam, zaraz wracam

Kiedy jedni widzieli
w niej diabła z rogami,
ja miałem wrażenie,
że czasem zostawia
za sobą cień skrzydeł

## KSIĄDZ KAZIMIERZ SOWA

P ani Maria była bardzo rzadkim przypadkiem osoby nieskażonej pewnym konwenansem, który jest w Polsce bardzo żywy i nakazuje daleko posuniętą delikatność i uprzejmość w relacjach z duchownymi. Zaczyna się to od stosowania pewnej tradycyjnej terminologii, a kończy na tym, że jak masz trochę inne zdanie, to lepiej się wycofać, żeby – broń Boże! – nie urazić swoją opinią księdza, z którym się gdzieś tam człowiek spotyka, nawet przypadkowo i nie w sakralnej przestrzeni. Ona była od tego wolna i szczerze mówiąc, to mnie w niej urzekło. Zachowywała się wobec mnie bardzo naturalnie, co oburzało nawet tak zagorzałych „ateuszy", jak gospodarz i goście programu *Drugie śniadanie mistrzów*, gdzie się po raz pierwszy spotkaliśmy.

Nie pamiętam już, kto jej zwrócił uwagę na to, że do księdza nie mówi się per „pan". Czy to był Marcin Meller? Całkiem możliwe. Pani Maria wtedy zareagowała zdziwieniem:

– Aaa... to przepraszam! Ale czy to „pan" jest obraźliwe? Ja nie wiedziałam...

Spotkanie z duchownym to była dla niej kompletnie nieznana rzeczywistość, może nie do końca obca, ale przynajmniej niezbyt dobrze rozpoznana. Dla mnie

to oczywiście nie było żadnym problemem, bo generalnie uważam, że jeżeli jakiś ksiądz się obraża, że się do
niego ktoś zwróci per „pan", nawet celowo, to zaprzecza
temu, kim jest. Powiedzmy sobie szczerze, jeśli ksiądz
nie czuje się facetem, to nie powinien zostawać księdzem, bo wszystko mu się zaczyna mieszać. Nic dziwnego, że ludzie nas czasem traktują jak przedstawicieli
jakiejś „trzeciej płci", jak gości, którzy biegają w sukience.
Znam takich księży, którzy z niezrozumiałych szerzej
powodów odżegnują się od swojej płci. Oczywiście nie
chcą się też identyfikować – broń Boże! – z kobietami.
Tak na marginesie, to wydaje mi się o tyle dziwne, że
przecież mamy nawet takie polskie przysłowie: ksiądz
i niewiasta są z jednego ciasta. Dlatego odcięcie się od
własnej płci powoduje, że tacy ludzie są na ogół bardzo
nieszczęśliwi...

Ale wracając do pani Marii i *Drugiego śniadania
mistrzów*, moi koledzy w przerwie na reklamy zaczęli ją
podpuszczać:

– Kazik jest księdzem, więc nie można do niego
mówić per „pan", bo się pani narazi! Trzeba się zwracać
z szacunkiem: „wielebny" albo „ekscelencjo".

I ona w następnym wejściu rzeczywiście zaty-
tułowała mnie:

– Wielebna ekscelencjo, proszę pana, przepraszam, czy tak będzie dobrze?

I wtedy ryknęliśmy śmiechem. Potem te nasze
relacje z panią Marią były bardziej bezpośrednie i życzliwe, ale też nigdy nie przekroczyły takiej granicy zbrata-
nia się. A często mi się zdarza, że jak spotykam się z kimś

w jakimś programie albo towarzysko, to potem szybko następuje takie bardzo naturalne przełamanie granicy koleżeństwa. Z panią Marią tak nie było. Zastanawiałem się nawet, czemu tak się stało. Myślę, że ona po prostu uznawała, że jednak reprezentujemy trochę inne światy.

Kilka razy publicznie na antenie w *Drugim śniadaniu mistrzów* stwierdzała, że szanuje mój świat, świat moich przekonań, moich argumentów, moich racji. Ona go szanuje, a zarazem z jakichś powodów, których nie miałem też potrzeby dociekać, nie wszystkie te racje podziela.

*\*\*\**

Kiedy publicznie przyznała się do aborcji i wybuchł ten zasadniczy, bardzo ogniskujący, spór o Marię Czubaszek, skupił się na niej cały prawicowy hejt. Strasznie ją zwyzywano, nie starając się zrozumieć. Ci, którzy ją najbardziej oskarżali, nie zastanawiali się, że ona do końca nie miała świadomości racji, które stoją za ochroną życia, tak jak to my widzimy w sensie pewnej argumentacji naturalno-teologiczno-religijnej. Parę razy mi się w życiu zdarzyło, że rozmawiałem na ten trudny temat z ludźmi w konfesjonale. Dlatego wiem, że często te osoby rzeczywiście nie mają świadomości, że dokonały jakiegoś strasznego czynu. Nie sądzę, by automatycznie należało je w przestrzeni publicznej od razu ekskomunikować, potępiać, wyklinać. Staram się zrozumieć ich motywację, zwłaszcza wtedy kiedy mam do czynienia z osobą niewierzącą, gdy argumenty natury religijnej trafiają na naturalny opór albo bywają „przestrzelone". Po dłuższej rozmowie często okazuje się, że ci ludzie działali pod presją różnych czynników, a to wyłącza ich racjonalną ocenę, która dla nas, patrzących na to z boku, jest oczywista: aborcja jest złem, bo zło jest zawsze złem.

Raczej zastanowiłbym się nad motywacją tych, co ją hejtowali. Może zadziałał tu ten mechanizm, że odnalezienie kogoś, kto jest „gorszy" od nas poprawia nasze samopoczucie? W Piśmie Świętym jest opisana scena modlitwy w synagodze, gdzie pogardzany w ówczesnym społeczeństwie celnik bije się w piersi, a faryzeusz szepcze do Boga: nie jestem jak ci grzesznicy, składam ofiarę, przynoszę dziesięcinę z mięty i pieprzu... W polskim katolicyzmie jest taka tendencja, by napiętnować „strasznych grzeszników", bo na ich tle my nie wypadamy tak źle. „Oszukujemy państwo, nie płacimy podatków, orżniemy kogoś w biznesie, zwyzywamy od najgorszych, ale przecież nie zrobiliśmy aborcji, prawda? No to cudowni jesteśmy!" Maria Czubaszek bardzo im pasowała jako taka pokazowa grzesznica. Gdyby jeden z drugim pogadał ze swoją sąsiadką, ciocią lub jakąś inną osobą w rodzinie, może znalazłby więcej grzesznic, ale oni wolą nie zadawać takich pytań bliskim, tylko skupić się na nienawiści do zła uosobionego w wybranej „czarownicy". Pani Maria po całej tej historii nie próbowała się tłumaczyć w głupi sposób, uciekać, zasłaniać. Po prostu pozwoliła, żeby ta fala hejtu przez nią przepłynęła.

Pamiętam, że kilka dni po tej ogromnej burzy, gdy na panią Marię spadły gromy potępienia, znowu spotkaliśmy się w jakiejś audycji publicznie. Wcześniej zawsze odruchowo siadaliśmy obok siebie. Dlatego i tym razem usiadłem przy niej. A ona się autentycznie o mnie zaniepokoiła i szepnęła:

– Proszę pana, jak oni tutaj panu księdzu zrobią ze mną zdjęcie, to już koniec! Będzie pan przeklęty, potępiony.

To było z jej strony takie życzliwe, naturalne. Bała się, że przez nią będę miał kłopoty. Wtedy się roześmiałem:

– Pani Mario, spokojnie, spokojnie... nie z takimi historiami sobie tutaj radziliśmy.

Zresztą od razu powiedzmy: nigdy nie miałem przez nią „kłopotów". Mówię tu o sytuacjach poważnych, a nie o hejterstwie portali prawicowych umieszczających mnie oczywiście w tym samym kręgu piekła, które zarezerwowały już wcześniej dla pani Marii.

Nienawistne komentarze i opinie na pewno ją bolały i było mi z tego powodu jej żal. Ale jakoś sobie z tym radziła. Może dlatego, że była satyrykiem w każdej chwili, w każdym momencie swojego życia. Nawet jak mówiła coś całkiem na serio, to tam gdzieś z tyłu kryła się jej natura satyryczna, żartobliwa. Pamiętam, jak zaczęliśmy w studiu telewizyjnym komentować wybór papieża Franciszka. A po programie pani Maria mnie zaczepiła i mówi:

– Zaraz, zaraz... to z tego wygląda, że to całkiem jakiś normalny ten wasz Franciszek. A on z tymi zwierzętami to jak? Lubi je czy nie?

– No cóż... – odpowiedziałem – wydaje mi się, że z uwagi na jego poglądy na teologię i ekologię, to że raczej lubi.

– No, mówiłam, że całkowicie normalny – ucieszyła się. – Taki jakiś... nie wasz.

I potem parę razy w dyskusjach bardzo go broniła, brała stronę argumentów papieża Franciszka, które się gdzieś tam pojawiały. To taki paradoks, że w wielu przypadkach słyszę, jak Franciszek bardziej jest papieżem niewierzących niż wierzących. Może to za duże uproszczenie, ale coś w tym jest.

O polskim Kościele pani Maria pewno nie myślała jakoś szczególnie intensywnie czy ciepło, ale nie miałem o to do niej pretensji. Patrzyła na niego jak na instytucję. Często się z tym spotykam, zwłaszcza gdy rozmawiam z ludźmi, którzy stoją nieco z boku.

Wiedziała, co o niej wypisują ludzie, którzy uważają się za „prawdziwych Polaków, katolików", i dlatego martwiła się, że może w jakiś sposób zaszkodzić księżom, których lubiła. I nie chodziło tylko o mnie. Wojtek Pełka, zmartwychwstaniec, który z nią się widywał w programach w Polsacie, opowiadał mi, że kiedyś się spotkali w studiu po jej coming oucie aborcyjnym. Po programie podszedł do niej i powiedział, że chciałby zrobić sobie z nią zdjęcie. I zrobił. A pani Maria najpierw się ucieszyła, a zaraz potem zmartwiła i powiedziała:

– No to ksiądz sobie już stryczek szykuje.

A to był przecież z jego strony naturalny odruch sympatii. Oczywiście za to zdjęcie, które pokazał na Facebooku, to mu się ostro dostało. Na pewno był w tym też jakiś mały element prowokacji, żeby pokazać swoją solidarność z osobą, na której wszyscy wieszali psy, ale Wojtek naprawdę ją lubił. Nie wiem, czy w całym polskim Kościele jest jeszcze ktoś, oprócz nas dwóch, kto publicznie okazywał jej sympatię. Pewno by się ktoś jeszcze znalazł, ale jakoś się nie ujawnił.

Wojtek jest z Krakowa, ale gdy przyjeżdża do Warszawy, to wiem, że często odwiedza grób pani Marii, by się tam za nią pomodlić. Opowiadał mi też historię, jak jedno żeńskie zgromadzenie zakonne poprosiło go o cykl dni skupienia. Próbował się od tego wykręcić, ale siostry się uparły. Jako ostatecznego argumentu użył – trochę żartobliwie – tego zdjęcia z panią Marią. A wtedy siostra przełożona pozbawiła go złudzeń:

– A to ta pani, co tak lubi zwierzęta i zawsze ma żart na każdą okazję? Umarła niedawno, więc niech ksiądz przychodzi do nas, a my będziemy się za nią modlić.

Wojtek był w takim szoku, że oczywiście zgodził się i jak sam przyznał, potraktował to jako znak z góry.

\*\*\*

No właśnie, parę razy mnie pytano, czy gadałem z panią Marią o Bogu, życiu wiecznym i religii. Wprost, otwarcie – nie; czasem zadawała jakieś pytania związane z tak zwanymi sprawami wyższymi, ale nie wiem, czy ona miała jakieś rozterki duchowe. Kiedyś powiedziała mi, ale chyba bardziej w żartach, że gdyby się jej czasem coś odwidziało, to się do mnie zgłosi. No ale jej się „nie odwidziało". Szkoda, ale nie traktuję tego w kategorii swojej porażki.

Zresztą nigdy nie próbowałem jej „ewangelizować". Pani Maria nie była osobą, która „zraniona

odwróciła się od Kościoła". Żyła poza taką rzeczywistością i chyba najgorszą rzecz, jaką mógłbym zrobić, to
próbować taką osobę zbawiać na siłę. Myślę, że dla wielu
ludzi to jest ważne, że my nie jesteśmy jakimiś „łowcami
dusz", którzy będą rozliczani z tego, ile mają spektaku-
larnych nawróceń.

Ksiądz Twardowski w jednym ze swoich wierszy napisał:

*Nie przyszedłem pana nawracać*
*zresztą wyleciały mi z głowy wszystkie mądre kazania*
*(...)*
*po prostu usiądę przy panu*
*i zwierzę swój sekret*
*że ja, ksiądz,*
*wierzę Panu Bogu jak dziecko*

To była niesamowicie inteligentna osoba, która żartowała nawet wtedy, gdy nie wiedziała, że żartuje.
Ale był w tym też głęboki przekaz, który skłaniał do re-
fleksji. Może właśnie przez to, że stawiała pewne rzeczy
zupełnie na głowie? Szkoda, że nie mieliśmy takiego
momentu, żeby pogadać, mieć może bardziej osobistą
refleksję. „Spieszmy się kochać ludzi, tak szybko odchodzą", znowu Twardowski. Nie jestem nawet pewny, czy
z jej strony była też taka gotowość do stawiania spraw
egzystencjalnych.

Miałem wrażenie, że jest wierzącą, chociaż nie
„zadeklarowaną", deistką, która uważa, że istnieje Ze-
garmistrz nakręcający ten zegar świata, ale potem On

już się nie wtrąca. Zostawia nas samych. Gdybym więc miał powiedzieć, w co wierzyła Maria Czubaszek, to jej światopogląd był właśnie taki.

Parę razy mnie zaskoczyła, bo myślałem, że jak zwykle żartuje, a ona pytała całkiem serio:

– Jak to jest z tymi zwierzętami? To w niebie jest dla nich miejsce czy nie? Bo jak Pan Bóg je stworzył, to nie może ich przecież wyrzucić z nieba?

Choć sama chyba nie spodziewała się, że może otrzymać łaskę wiary, to szanowała poglądy innych i nigdy nie drwiła z religii.

Kiedyś rozmawialiśmy o śmierci. Pamiętam, że porównała ludzkie życie do książki. Czytasz, potem dochodzisz do ostatniej strony i wiesz, że powinieneś tę książkę zamknąć, bo już nie ma nic więcej do czytania. I jak zamykasz, to koniec, jest odstawiona na półkę. Pozostaje jakieś wspomnienie, ale coś się skończyło definitywnie. Miała przekonanie o pewnej pustce. Bez tragedii, rozpaczy, żalu. Bo czasem nawet ludzie niewierzący mają w sobie mniej lub bardziej podskórnie tkwiący strach i taką rozpacz... co to będzie? A ona – nie.

*

Mam taką cichą nadzieję, że kiedyś się jeszcze spotkamy, tam po drugiej stronie. I ona wtedy uzna, że się pomyliła. Ale to nie będzie z mojej strony takie tryumfujące: „A widzi pani, pani Mario? Racja była po mojej stronie!". Chciałbym, żeby to było dla niej życzliwe zaskoczenie. Aby odnalazła się w rzeczywistości, której, myślę, że bardziej nie znała, niż nie uznawała. Sympatyczne rozczarowanie dobrocią Pana Boga, która nie jest zarezerwowana tylko i wyłącznie dla najlepszych.

# Nigdy nie zgadniecie, do jakiego celu Maria Czubaszek używała lakieru do włosów

# IZA BARTOSZ

Róże „Gali" były nie tylko rozdaniem nagród tygodnika, który w tamtym czasie prowadziłam, ale i wielkim widowiskiem transmitowanym przez telewizję na całą Polskę. Maria Czubaszek została zaproszona jako gość honorowy, by wręczyć nagrodę jednemu z laureatów. Wcześniej nie znałyśmy się osobiście, ale tamtego wieczoru siedziałyśmy na widowni obok siebie.

Zasadą tego rodzaju imprez jest to, że scenarzysta pisze wypowiedź każdej osobie, która występuje na scenie. Zadanie jest proste. Wystarczy stanąć na estradzie i przeczytać z kartki lub promptera krótki tekst.

Maria Czubaszek spojrzała na tę kartkę, skrzywiła się i trąciła mnie łokciem w bok.

– Ej, dziecko! Czy ja to muszę przeczytać? Bo wolałabym powiedzieć coś od siebie i gwarantuję ci, że będzie lepiej – powiedziała.

Oczywiście zgodziłam się. Pani Maria na scenie po swoim występie dostała brawa. Miała rację, że nie chciała wygłaszać cudzych żartów. Sama była niepowtarzalna.

***

Jakiś czas później jechałam pociągiem do Gdańska i spotkałyśmy się – tym razem zupełnie przypadkowo – w jednym z tych nowoczesnych wagonów przypominających wnętrze samolotu. Usiadłyśmy obok siebie. Byłam zachwycona jej poczuciem humoru i krótkimi, celnymi, trochę złośliwymi komentarzami na temat celebrytów. Pamiętam, że rozmawiałyśmy o mężczyznach metroseksualnych i w którymś momencie zeszłyśmy na temat Krzysztofa Ibisza i jego troski o wygląd i figurę.

– Wolałam go, kiedy był starszy. – Pani Maria machnęła ręką.

W pewnym momencie wyciągnęła z torebki paczkę papierosów i zapalniczkę. Spojrzałam na nią z niepokojem.

– Pani Mario, wydaje mi się, że tu nie wolno palić.

Rozejrzała się zdziwiona. A przecież był rok 2015, znajdowałyśmy się w nowoczesnym wagonie pociągu pędzącego z Warszawy w stronę Gdańska.

– Jak to nie można palić? Na pewno można!

– Na sto procent nie wolno tu palić. Zaraz będzie totalna chryja.

– To gdzie możemy pójść, żeby puścić dymka?

– Z tego, co wiem, w pociągach nigdzie nie można palić.

– No dobrze, poczekam, aż staniemy na stacji i na peronie sobie zapalę.

– Na peronie też nie wolno.

Pokręciła głową ze zdziwieniem, ale schowała papierosy. Za to zaproponowała, żebyśmy przeszły do bardziej „tradycyjnego", małego, zamykanego przedziału, w którym będzie nam się „lepiej rozmawiało".

Znalazłyśmy pusty przedział i pani Maria natychmiast sięgnęła po papierosy. Zapaliła i z zadowoleniem zaciągnęła się dymem.

Byłam wystraszona, a z drugiej strony chciało mi się śmiać.

– Pani Mario, a jak nas złapią? Za to się płaci jakieś straszne kary.

– Nic się nie martw...

Czubaszek spokojnie wypaliła do końca papierosa, a potem wysłała mnie na korytarz, żebym stanęła na czatach i patrzyła, czy nikt nie idzie. W tym czasie wyjęła z torebki lakier do włosów i spryskała nim cały przedział.

– No i już nie czuć papierosów!

Ucieszyła się jak mała dziewczynka, która zrobiła rodzicom psikusa.

Zanim dojechałyśmy do Gdańska, powtórzyłyśmy ten manewr jeszcze co najmniej pięć razy. Powietrze w przedziale można było kroić nożem, ale rzeczywiście, dym papierosowy nie wydawał się tam największym problemem.

**Podzielaliśmy tę samą religię. Byliśmy namiętnymi palaczami domagającymi się dla siebie pewnych wolności**

ZBIGNIEW MIKOŁEJKO

**P**ani Maria była takim harcownikiem, który idzie przed wojskiem. Dzielnym małym rycerzem, który boleśnie ukąsił wielkiego i brzydkiego Goliata.

Uwielbialiśmy się z wzajemnością, chociaż mieliśmy wyłącznie kontakty okazjonalne. Chyba też oboje obserwowaliśmy z sympatią swoje działania. W każdym razie ja na pewno śledziłem panią Marię – i to od dawna. Właściwie wychowałem się w jakiejś mierze na jej sposobie doświadczania świata, bo przecież, wraz z całą Polską, słuchałem rzeczy, które pani Maria pisała dla radia. Uwielbiałem jej ironiczny stosunek do świata, dystans i nonkonformizm. A spotkaliśmy się przypadkowo w Telewizji Puls. O czym był ten program? Nieważne. Istotne było to, że mogłem osobiście ją poznać.

Z miejsca zgadaliśmy się, że podzielamy tę samą religię, czyli jesteśmy namiętnymi palaczami domagającymi się dla siebie pewnych wolności. Nie chcieliśmy być kozłami ofiarnymi, które się pojawiły z braku innych grup do prześladowania we współczesnej kulturze czy też w quasi-religii zdrowia, wiecznej urody i tym podobnych rzeczy. I to picie „świętego

dymu" bardzo mocno nas zintegrowało, ale przecież
nie tylko o to chodziło...

***

Zaczęło się od mojego felietonu o „wózko-
wych" matkach.

Historia była zabawna, bo pani Maria została zaproszona na kongres kobiet. Było tam mnóstwo pop-feministek, bo to feministki, zupełnie
niepotrzebnie, rozpętały tę hecę, a potem znalazły
się „z ręką w nocniku". „Wózkowe", które one wzięły
w obronę, masowo przecież poparły „dobrą zmianę".
„Wózkowym" jest wszystko jedno, z jakiego trzosa
ciągną pieniądze i czyim kosztem żyją, byleby im
było dobrze. Nie mówię tutaj, zastrzegam się, o młodych matkach czy o matkach w ogóle, tylko o pewnej grupie społecznej kobiet młodych, zdrowych,
ale najczęściej nastawionych roszczeniowo, mają-
cych pretensje do świata, uważających się za kró-
lowe balu. Usłyszałem, jak pani Maria przemawia
na owym kongresie i odważnie chwali mnie za ten
tekst. A atmosfera nie była tam przychylna. Pani
Maria znalazła się nagle w środowisku zdominowa-
nym ideologicznie, bo czym innym jest feminizm,
a czym innym pop-feminizm. Ja jednak twardo od-
różniam sensowny feminizm, który walczy o rów-
nouprawnienie kobiet, od zupełnie ogłupiającego
porządku ideologicznego, który próbują narzucić
pop-feministki.

To bowiem, co było nam obojgu zawsze drogie, to nonkonformizm. Ale ten nonkonformizm ma dwa ostrza. Z jednej strony skierowany jest przeciwko tak zwanemu człowiekowi potocznemu, który żyje nawykowo, przyjmuje różne obiegowe „prawdule", wyświechtane słowa i zachowania, jest uwikłany w stereotypy. To nasza polska codzienność – stadne, bezrefleksyjne wędrowanie za różnymi rzeczami, to obyczajowość drobnomieszczańskiego chowu. Pani Maria te stereotypy nieustannie rozsadzała. A z drugiej strony niepokoiły nas porządki ideologiczne, takie jak ten pop-feminizm z jego ograniczeniem czy też narzucaniem schematów myślenia. Z tą ideologią rzekomej „poprawności politycznej", która w gruncie rzeczy pasożytuje na rozmaitych lękach. To nieprawda bowiem, że „poprawność polityczną" wymyślono po to, żeby się ludziom lepiej żyło. Kiedyś było coś innego, co nie było porządkiem ideologicznym w istocie. To się nazywało „przyzwoitość". I wystarczało.

Nie biło się słabszego, szanowało się inność w człowieku z pewną grzecznością, z szacunkiem do tej inności się podchodziło. A pani Maria, i to w niej mi się niesamowicie podobało, zawsze tę swoją inność demonstrowała, mówiąc chociażby o swojej „niewyszukanej, nienachalnej urodzie" – w dzisiejszym świecie, w którym tak wielką wagę przykłada się do zewnętrzności, do powierzchownego blichtru i fałszywego blasku. To, co mówiła o swej urodzie, nie było zresztą prawdą: wdzięk pani Marii był absolutnie powalający i pozostaję ciągle pod jego urokiem.

Dopadały nas więc obojga rozmaite schematyzmy, stare i nowe, i przeciwko tym schematyzmom wierzgaliśmy. Pani Maria na swój sposób, ja na swój. I jeszcze do tego dochodził ten „święty dym".

\*\*\*

Spotykaliśmy się najczęściej w telewizji. Czasem to było zabawne. W TVP, na tym słynnym korytarzu, znanym z „Człowieka z marmuru", umieszczono taką szklaną budkę i udawaliśmy się do niej z panią Marią. Ona – niziutka, ja – długi, wysoki, mam w końcu 186 centymetrów wzrostu. I sączyliśmy ten dym zachłannie, a ludzie przechodzący korytarzem reagowali radośnie, widząc dwie postacie dość kontrastowe. Sam ten kontrast był tutaj bardzo fizyczny, uderzający, ale jednocześnie jednoczyliśmy się bardzo w tej prowokacyjnej religii protestu i ekstazy.

Nasze rozmowy były przygodne, manifestowaliśmy swój dystans wobec różnych spraw i rzeczy. Jak więc wszystkie rozmowy okazjonalne, nie były to dyskusje o dużym ciężarze gatunkowym. I chodziło raczej o okazanie sobie wzajemnej sympatii. Bo ona pomiędzy nami narodziła się od razu, od pierwszego wejrzenia. Przy tym nie znajdowała żadnych artykulacji, nie chodziliśmy razem na kawę. Raz chyba tylko dłużej ze sobą rozmawialiśmy. To było na Uniwersytecie Warszawskim, gdzie występowaliśmy na spotkaniu Uniwersytetu Otwartego i słuchało nas siedemset osób zgromadzonych w trzech salach.

Wielkość intelektualna pani Marii polegała na tym, że ujawniała małość, nikczemność ludzką nie za pomocą wielkich słów, tylko na zasadzie obnażania rozmaitych paradoksów i śmiesznych schorzeń. To fantastyczne, zwłaszcza dla filozofa. Była ona więc dla mnie jednym z wcieleń – bardzo istotnej dla naszej tradycji europejskiej kultury – filozofii sokratejskiej. Sokrates też był takim filozofem prześmiewcą. A kiedy uprawiał tę swoją dialektykę zaprawioną ironią, to mówił, że chodzi mu o „oczyszczenie umysłu ludzkiego z pozoru wiedzy". I pani Maria należała też do tych ważnych osób, które z pozoru wiedzy, z rozmaitych rzekomo nienaruszalnych prawd i „prawdulek" naszą umysłowość oczyszczały. Tak, niezwykłym odkryciem było dla mnie to, że nawet jej postawa była taka sama jak Sokratesa... Ona twierdziła: „Jestem nienachalnej urody", a on mówił: „Ja głupek, prostak i Beota". Ten najbardziej inteligentny człowiek – nie tylko tamtej epoki, ale i w ogóle jedna z największych postaci umysłowych naszego świata – mówił, że nic nie znaczy...

Często się nad tym zastanawiałem i doszedłem do wniosku, że nie była to taka prosta satyra. Nie chodziło przecież pani Marii o to, żeby ludzi bawić. Była zbyt inteligentna, zbyt bystra, żeby się tylko zajmować zabawą. Jej sposobem na ukazanie świata było zdzieranie masek, obnażanie stereotypów, chociażby dotyczących kobiecości czy męskości. Rozprawiała się z nimi za pomocą celnego żartu czy skeczu, czasem nawet jednego słowa. To był jej znak szczególny od początku, od pierwszych dialogów pisanych dla radia.

Czasem to bolało, działało jak czerwona płachta na byka, zwłaszcza gdy pochylała się nad naszą polskością, która jest nawiedzona przez tandetność myślenia i fałszywą często powagę.

*\*\**

Najwspanialsze w naszej relacji było to, że ten związek między nami nie został nigdy zinstytucjonalizowany. Zawsze, gdy się spotykaliśmy, rzucaliśmy się sobie w ramiona, czując radość i wspólnotę dusz. Czułem się oczywiście wyróżniony tym, że pani Maria tak jakoś mnie doceniła. Nigdy nie zapomnę więc tego jej odważnego wystąpienia na kongresie kobiet i potem w wywiadach. To, co powiedziała, dobrze zresztą oddaje uczucia wielu osób, które czują się zranione przez pewien apodyktyczny model kobiecości, wobec wielu z nich wręcz represyjny.

Byłem jej bardzo wdzięczny, ponieważ w okresie swoistej nagonki na mnie, zaszczuwania z jednej strony przez pop-feministki, z drugiej strony przez populistyczne środowiska konserwatywne, które mówiły wtedy razem jednym głosem – poczułem, że ktoś wyciąga do mnie rękę. I to ktoś dla mnie istotny. To było dla mnie niezmiernie ważne, budujące i dowartościowujące. Ona zresztą także doświadczała wylewania na nią całych wiader pomyj. Pamiętam też, że często w bezpośrednim zwarciu, bo nam się to obojgu kiedyś przydarzyło w audycji Tomasza Lisa, nie dawaliśmy sobie rady z takimi brutalnymi, ideologicznymi wystąpieniami. Gdy konfrontowano nas z fundamentalistami, którzy w dyskusji posługują się nie argumentami, a młotem, przegrywaliśmy. I marną pociechą była dla mnie świadomość, że Sokrates też został zniszczony przez fundamentalistów i państwowy aparat represji, że ostatecznie przymuszono go do samobójczego wypicia cykuty, do swoistego „zabójstwa sądowego". Bo to jest zawsze w ofercie, prawda? Dzisiaj ta trucizna jest zawarta chociażby w falach hejtu, który i panią Marię, i mnie spotkał. Tutaj nic nie jest darowane, człowiek zostaje zawsze oblany jakąś jadowitą, brudną cieczą. Tym bardziej więc potrzebuje drugiego człowieka, który go jakoś rozumie i lubi. Który z nim współmyśli.

Dla obojga nas podstawową wartością był indywidualizm. Poczucie tego, że najważniejsza jest osoba ludzka w całej jej jednostkowej krasie, niepowtarzalności, a nie jakieś tam nieokreślone „stado". Wierzgaliśmy zatem przeciwko temu przeciwnikowi, który zawsze prokuruje stado przeciw takim jak my. I jeszcze: skoro mówimy o tradycji, trzeba powiedzieć, że pani Maria odgrywała w naszym społeczeństwie taką rolę, jak przed wojną Franciszek Fiszer – filozof ironiczny. Pisał o nim, o jego okazjonalnej filozofii, profesor Władysław Tatarkiewicz, bo sam Fiszer nie napisał ani słowa, ale uprawiał swoją filozofię w kawiarniach i salonach, a potem jego bon moty powtarzała cała przedwojenna Warszawa. Do dziś zresztą je powtarza. Pani Maria miała natomiast szansę prezentacji swoich poglądów w mediach. I wspaniale, bo to trochę ratuje przed ulotnością. Ulotność słowa, tak jak ulotność istnienia, w dzisiejszych czasach jest przecież tak samo bolesna jak w przeszłości.

Budujące było jednak, że odbiór społeczny w przypadku pani Marii był tak rozległy. Bo różne warstwy jej przekazu, jej myślenia docierały do rozmaitych osób i środowisk.

Ja natomiast zawsze w niedzielne wieczory gnałem przed telewizor, bo absolutnie nie mogłem pominąć tych chwil, kiedy pani Maria występowała w *Szkle kontaktowym*. To była uczta, takie krzepiące łasowanie różnych intelektualnych smakołyków.

Sokrates często w dyskusjach udawał prostaka i głupka, na tym polegała jego ironia. Pani Maria też czasem udawała, właśnie tak po sokratejsku, że czegoś nie rozumie, chociaż oczywiście rozumiała świetnie. Ale ta postawa pozwalała jej zdemaskować głupotę i małość tego „czegoś", czego jakoby nie rozumiała. To „coś" zatem, podpuszczone, rozpościerało pawi ogon, pyszniło się głupio, pokazując dobitnie swoje żałosne atuty i znajdując się oczywiście „na spalonym".

Wielokrotnie przy tym podziwiałem jej dzielność. Ogromne wrażenie zrobiło na mnie choćby to, w jaki sposób – spokojny i naturalny – przyznała się do aborcji. Pomyślałem wtedy, że trzeba mieć naprawdę heroiczną odwagę, by w tym kraju coś takiego powiedzieć. Oberwała wtedy mocno, choć wśród ludzi myślących, którzy rozumieją kobiety i ich dramaty, z pewnością zdobyła szacunek. Swoją postawą zainicjowała też potrzebną dyskusję o tym, jak skomplikowanym problemem jest wzięcie na siebie macierzyństwa i odpowiedzialności, która za tym stoi. Bo nawet w Polsce są kobiety, które z poczucia odpowiedzialności rezygnują z macierzyństwa. One są u nas często przedmiotem „sekowania", niekiedy traktuje się je bardzo brutalnie, niemal „z buta". Dlaczego reakcje fundamentalistów są takie histeryczne? Bo odbierają taką postawę jako policzek wymierzony powszechnemu myśleniu. Dlatego słysząc podobne wyznanie, wielu ludzi zasklepi się, zapiecze w swojej ideologicznej skorupie. Ale dla tych, którzy są gdzieś na granicy, którzy nie mają tak skrajnych poglądów, przykład osoby, która mówi prawdę, nie bojąc się ostracyzmu, jest ożywczym oddechem wolności, rozjaśniającym świat. Jest cholernie ważnym aktem współbycia.

Jej postawa niezmiernie zatem irytowała zideologizowanych przeciwników, którzy starają się utrzymać nas w tym sosie zapyziałej polskości, tak bardzo mocno przeszkadza nam w cywilizacyjnym rozwoju.

I bardzo nam dziś pani Marii brakuje. Ten świat – bez pani Marii – będzie już taki kaleki...

O czym rozmawiają kobiety?
Naprawdę
chce pan wiedzieć?
Jest pan na to gotowy?

# BARBARA WRZESIŃSKA

– Baśka! Muszę z tobą zrobić wywiad!

– Dobrze, Marysiu. Ale o czym?

Wiedziałam, że Marysia pracuje dla jednej z tych kobiecych gazet i robi wywiady ze znanymi ludźmi. Nawet pytała się kiedyś, czy ma wybrać do rozmowy Macieja Płażyńskiego, czy Marka Borowskiego, bo redakcja chciała któregoś z nich. Nie była raczej z tamtego wywiadu zadowolona, bo choć rozmówca sprawiał wrażenie inteligenta, to ją chyba rozczarował. Dlatego gdy posłali ją później do Marka Belki, który był szefem Narodowego Banku Polskiego, to po drodze modliła się, żeby jakoś tę rozmowę przetrwać. Opowiadała mi, że zapukała do drzwi, a otworzył jej uśmiechnięty facet w jakiejś zwariowanej czapeczce na głowie i powiedział:

– Wiem, że pani mąż lubi kolorowe marynarki i dziwne nakrycia głowy, to chciałem, żeby się pani u mnie poczuła jak u siebie w domu...

I potem gadali i gadali. I żadne z nich nie chciało tej rozmowy kończyć. Dopiero gdy wróciła do domu, Marysia sprawdziła, że wszyscy, którzy Marka Belkę znają, to mówią, że facet ma niesamowite poczucie humoru, ogromną inteligencję i wdzięk.

Ale kiedy Marysia przyszła do mnie na wywiad, to nie wiedziałyśmy za bardzo o czym rozmawiać.

– Baśka! Może po prostu powiedz coś mądrego! – zażądała Marysia.

Zaczęłam więc coś mówić o sztuce, ale w sumie obie czułyśmy, że to jest takie sztywne, nieprawdziwe. Marysię to chyba nudziło, bo mi przerwała:

– Baśka, a powiedz mi, jak to jest z tymi facetami. Podobają ci się łysi?

To był taki okres, w którym łysiny zaczęły być znów bardzo modne. Znów, bo było wcześniej kilka fal, gdy mężczyźni golili głowy na łyso. Pierwsza – kiedy do kin wszedł film „Siedmiu wspaniałych" i wszyscy mężczyźni chcieli wyglądać jak Yul Brynner. Druga fala – to czasy fascynacji Tellym Savalasem. Potem to przeszło i znów za jakiś czas wróciło.

– No cóż… – zastanowiłam się. – Kiedyś to mi się to nawet podobało. Ten Yul Brynner był fascynujący, chociaż łysy. Ale to, co jest dzisiaj, to nie bardzo wygląda. Jak wszyscy tak się ogolili, to prezentują się jak orkiestra Japończyków. Brakuje jeszcze, żeby ubrali się we fraki. Bez włosów kompletnie tracą osobowość.

– To co… – naciskała Marysia – mam napisać, że jesteś za włosami, tak?

– Bo ja wiem… Może napisz, że jak już jest łysy, to niech chociaż ma kwiat za uchem. Niech się coś na tej głowie dzieje.

Wiem, że Marysi się to bardzo spodobało i wielokrotnie powtarzała, co jej powiedziałam. Bo my miałyśmy podobne poczucie humoru. I to nas zbliżyło. Miałyśmy też w sumie podobny gust w stosunku do mężczyzn. Tak się zresztą poznałyśmy...

\*\*\*

Jurek Markuszewski był reżyserem w Ateneum, gdzie w tamtym czasie grałam, a także w Programie Trzecim Polskiego Radia. Był jednym z najinteligentniejszych ludzi, których znałam. Człowiek o wspaniałym umyśle. Nazywano go „przyjacielem wielkich ludzi", bo przyjaźnił się z Haliną Mikołajską, Leszkiem Kołakowskim, Adamem Michnikiem i Jackiem Kuroniem. Z drugiej strony dobrze się znał i lubił z Mieczysławem Rakowskim i Danielem Passentem. Czasami zbierał różnych przyjaciół i wpadał do mnie. Pewnego razu przyszedł na moje imieniny z Adamem Kreczmarem, Jackiem Janczarskim i Marysią Czubaszek.

Byłam wówczas mężatką, ale moje małżeństwo zaczęło się już sypać. To chyba było widać, bo Jacek zaczął do mnie smalić cholewki. Przez jakiś czas grałam „niezdobytą twierdzę", ale on nie odpuścił, więc w końcu się rozwiodłam i wyszłam za mąż za Jacka Janczarskiego. Chyba dopiero wtedy dowiedziałam się, że Jacek był wcześniej z Marysią. A przecież wciąż się spotykałyśmy i ona nigdy nie dała mi odczuć, że ma do mnie żal za to, że „odbiłam" jej faceta. Kiedyś rozmowa zeszła nawet na ten temat, ale ona machnęła ręką i rzuciła lekko:

– Wiesz, jak to jest w życiu... Raz tak, a raz tak... Łatwo przyszło, łatwo poszło.

Pokochałam ją wtedy jeszcze mocniej. I choć moje małżeństwo z Janczarskim też nie przetrwało próby czasu, to na przyjaźni z Marysią to się w ogóle nie odbiło.

Pracowałyśmy razem i obie ceniłyśmy bardzo Jurka Dobrowolskiego, który był wielką osobowością i człowiekiem pełnym „zadzioru", z genialnym poczuciem humoru. Myślę, że on miał największy wpływ na Marysię, jej sposób pisania i patrzenia na świat.

Jurek miał ciężki alkoholizm. Marysia też popijała. Zawsze chodziła z butelką coca-coli i dolewała sobie do niej wódeczkę. Ale nigdy nie widziałam jej pijanej. W tamtym czasie chyba wszyscy pili. Jurek, Adam Kreczmar, Jonasz Kofta. Uważaliśmy, że alkohol jest dla ludzi. Ja też piłam, nawet wódkę, której nie znoszę – zawsze wolałam wino, ale wstydziłam się do tego przyznać, bo chciałam być taka jak moi przyjaciele. Było mnóstwo osób takich jak ja, które piły dla fasonu, żeby być starszą. Boże, jak ja się modliłam, żebym ja już miała nie „naście" lat, szesnaście, siedemnaście, osiemnaście, dziewiętnaście, zanim doszło do dwudziestu...

*** 

Marysia znana była z tego, że sama nie gotowała. Ale na szczęście w radiu na Myśliwieckiej, gdzie pracowałyśmy, był zawsze świetnie zaopatrzony bufet.

Kiedy wspólnie coś nagrywałyśmy, to zawsze wyskaki-
wałam z nią do tego bufetu i zamawiałam sobie ozorki
w sosie chrzanowym. Ogromnie je lubiłam, a w domu
nigdy tego dania nie przyrządzałam, bo to jednak
strasznie czasochłonne i trudne do przygotowania.

Jak już przestałyśmy wspólnie nagrywać skecze, to nie było powodu, by bywać w Trójce. Niemal
zdębiałam, gdy któregoś dnia stanęła w progu mojego
domu i w słoiku przyniosła mi te ozorki z radiowego
bufetu. To nie chodziło przecież o to, że ja umiera-
łam z głodu. To był gest przyjaźni. Bo Marysia nigdy
nie była sentymentalna, nie czuliła się, nie starała się
przypodobać. Po prostu przypomniała sobie, że lubię
ozorki, i pomyślała, że zrobi mi tym przyjemność. I nie
zdarzyło się to raz czy dwa razy, tylko częściej.

***

Jacek Janczarski, gdy został moim mężem,
wniósł „w posagu" miniaturową jamniczkę – Lolitkę. Suczkę wielkiej urody, piękną, lśniącą, jakby była
pluszowym zwierzątkiem, a nie prawdziwym psem.
Ciemnobrązowa, jak gorzka czekolada. Z ciemniejszy-
mi czubkami uszu, pyszczkiem i nóżkami. Do tego
była rozpuszczoną, wredną terrorystką o nikczemnym,
podłym charakterze starej wiedźmy. Jadła tylko cien-
ko pokrojoną, chudą wołowinkę bez żyłek. I absolutnie, ale to w ogóle, nie dopuszczała do siebie żadnych
psów. Jak któryś się do niej umizgiwał, to tylko szcze-
rzyła kły i warczała.

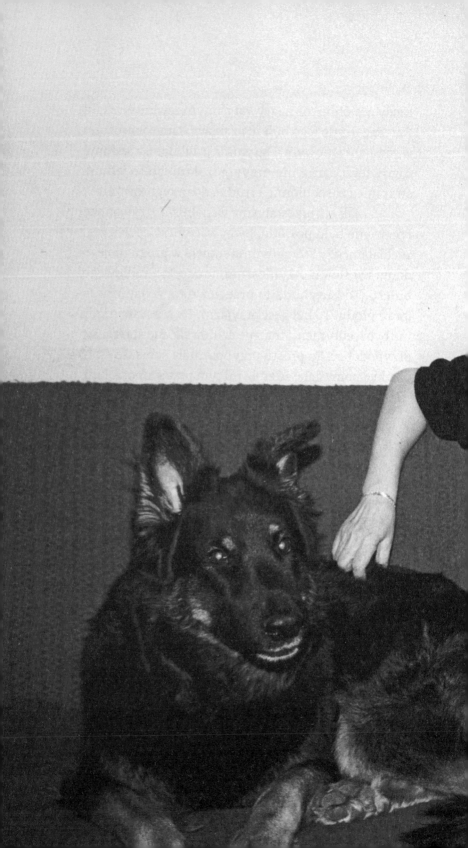

Marysia zawsze kochała psy i gdy się spotykałyśmy, to w pewnym momencie temat rozmowy schodził na Lolitkę.

– Lolcię trzeba koniecznie rozmnożyć! – stwierdziła kiedyś stanowczo. – Jacek, Baśka, jak ona będzie miała cieczkę, to natychmiast do mnie zadzwońcie. Umówimy się i pojedziemy do mojej mamy na Rozbrat.

Sąsiadka mamy Marysi miała też jamnika – miniaturkę, niejakiego Yogusia, championa, medalistę z wystaw. I Marysia przekonała nas, że ten Yoguś jest takim ogierem, że Lolcią zawładnie i ona nie będzie miała nic do powiedzenia. A jak już nią zawładnie, to wkrótce będziemy mieli takie śliczne, małe Lolitki. Tak to dobitnie powiedziała, że zgodziliśmy się, nie zastanawiając się nawet, po co nam tyle psów i dlaczego w ogóle my ją tak chcemy zmuszać do rozmnażania, skoro ona nie ma na to ochoty.

W końcu przyszedł ten dzień. Jacek zadzwonił po Marysię, zabrali Lolitkę i poszli.

Sąsiadka mamy Marysi, jak zobaczyła naszą suczkę, to zachwyciła się, że z takiej pięknej pary będzie wspaniały miot. Ale nasza suczka nie miała w ogóle na tego Yogusia ochoty. Minuty mijały, Jacek zaczął się denerwować, a oni nic... Zamknęli te pieski w drugim pokoju, bo pomyśleli, że może one się tak krępują, przy ludziach, a gospodarze zaczęli Jackowi polewać wódeczkę, żeby się nie niecierpliwił. Zaczęli gadać, pić, czas mijał szybko, aż się zorientowali, że z tego drugiego pokoju dobiega tylko jakiś cichy szmer.

Otwarli drzwi i ich oczom ukazał się niecodzienny widok. Yoguś, champion i medalista, leżał skulony ze strachu pod szafą, a co próbował wystawić nos, to Lolitka na niego warczała, obnażając kły. I ten biedak natychmiast się z powrotem chował. Swaty Marysi nic nie dały, a Lolitka jak żyła, tak i umarła w dziewictwie.

***

Lubiłam bardzo rozmawiać z Marysią. Bo jak rozmawiają dwie kobiety, to nie usiłują się przekonywać do swoich racji, tylko mogą szczerze powiedzieć, co czują. Jestem bardzo spontaniczna. Łatwo się śmieję, ale tak samo szybko wpadam w gniew albo wybucham płaczem. Potrafię rozpaczać z powodu jakiegoś kompletnie nieistotnego drobiazgu. Mężczyźni tego nie rozumieją. Nie wiedzą, jak sobie z taką kobietą poradzić. Marysia potrafiła mnie rozbroić. Zwłaszcza gdy na coś się wściekała. Umiała rzucić ostrym słowem, a nawet mięsem, ale w taki sposób, że to nie brzmiało wulgarnie. A gdy z wściekłością opowiadała: „...i ta cholera podeszła do mnie i powiedziała...", to trudno było utrzymać powagę.

Rozmawiałyśmy oczywiście o mężczyznach, ale też i o zwykłych, egzystencjalnych problemach, które nas w tamtych czasach dręczyły. Nie musiały to być wcale sprawy wagi kosmicznej. Czasem były to zwykłe, przyziemne rzeczy, takie jak ciuchy. Bo bywają chwile w życiu kobiety, gdy problem „w co się ubrać" urasta do wagi największej.

\*\*\*

Spotkałam się gdzieś z opinią, że Marysia nie zwracała zupełnie uwagi na to, jak wyglądała. To kompletna bzdura! Miała tylko, jak na prawdziwą damę przystało, ten cień pewnej nonszalancji w stosunku do ubioru. Jednak nigdy nie odpuszczała, jeśli chodzi o pantofelki na wysokim obcasie. Gdy szpilki stały się modne, to zaczęła je nosić nawet w zimie. Przywoził je chyba Wojtek Karolak ze swoich zagranicznych wyjazdów, a ona twardo nosiła, niezależnie od pogody. Pamiętam, że gdy mieszkała na Jazdowie w chałupie, w której trzeba było palić w piecu, to w środku zimy, w trzaskający mróz, wychodziła z wiaderkiem i szufelką na podwórko, gdzie była zwalona kupa węgla, nabierała ten węgiel i dreptała z powrotem do domu. Cały czas w złotych szpilkach, jakby mieszkała w pałacu.

Miewałyśmy też rozmowy „egzystencjalne". Kiedyś zaczęłyśmy rozmawiać o sztuce.

– Bardzo podoba mi się Michał Anioł, a jego „Pieta" jest jedną z najwspanialszych rzeźb, jakie w swoim życiu zobaczyłam – mówiłam Marysi. – Ale z drugiej strony nie imponują mi wielkie nazwiska i równie wzrusza mnie lipowy świątek, wyrzeźbiony przez jakiegoś pijaka z trzema zębami. Wiem, że to nie jest żadne dzieło sztuki, a może i nawet powinniśmy to nazwać kiczem, ale mnie wzrusza. Nie wiem dlaczego, a chciałabym to zrozumieć. Może powinnam studiować biologię? Bo często nurtują mnie pytania, na które nie ma odpowiedzi.

– Jakie pytania? – Marysia się zaciekawiła.

– Różne. Na przykład dlaczego jak maluję sobie oczy, to otwieram usta. I zauważyłam, że każda kobieta tak robi.

– Cholera, ty masz rację! – powiedziała Marysia.

– Próbowałam sobie pomalować rzęsy, nie otwierając ust, i natychmiast wsadziłam szczoteczkę w oko. Może gdybym studiowała biologię, to umiałabym to wytłumaczyć?

Następnego dnia Marysia do mnie zadzwoniła, żeby powiedzieć, że też próbowała pomalować rzęsy, nie otwierając ust, i jej się nie udało. No po prostu nie da rady.

*** 

Gdy Marysia umarła, nie mogłam w to uwierzyć. Ona tak bardzo nie pasowała do śmierci... Ale myślę, że gdzieś tam jest, stuka kostkami lodu w szklance z coca-colą i odrobiną wódeczki, patrzy na mnie z góry i pyta: „Baśka! Kiedy przyjdziesz? Bo wszyscy już tu są"...

**Zanim Marysię poznaliśmy, już wiedzieliśmy, że ktoś taki jak Czubaszek musi istnieć i że jej bardzo potrzebujemy**

# STEFAN FRIEDMANN

**A**le to głupie – śmialiśmy się – ależ to durne! Skąd ona te głupie teksty bierze. Ale wymyśliła! O Jezu, do rymu! Nie mogliśmy się od tego oderwać. Ciężko było nam się pogodzić z tym, że nasze teksty śmieszyły nas dużo mniej niż teksty Mańki.

Nasz wspólny przyjaciel, Jonasz Kofta, lubił mówić:

– Taki mam kaprys, że lubię tylko ludzi zdolnych.

Z Marysią było podobnie. Wybierała ludzi, z którymi łączyło ją podobne poczucie humoru, którzy bez słownika rozumieli jej język. A jej język był przecież bardzo specyficzny, te odzywki, dialożki, powiedzonka. Tamte skecze jej autorstwa, niestety, już odchodzą w niepamięć. Młode pokolenie tego języka nie zna, a nawet pewno nie rozumie.

Życie prywatne i praca nieustannie nam się mieszały. Rozmawialiśmy w kawiarni, wygłupialiśmy się, a potem odnajdowaliśmy te tematy i słowa w tekstach skeczy. Najlepsze jest to, że chyba nigdy nie widziałem, żeby Mańka coś zapisywała. Jonasz Kofta co jakiś czas łapał długopis i zapisywał swoje pomysły na czym mógł. Najczęściej na serwetkach. A Mańka

– nigdy. Może miała większą pojemność tej półkuli mózgowej, która jest odpowiedzialna za pamięć? Świetnie jej wychodziły powiedzonka, takie jak „dzień dobry, jestem z kobry" czy „wyszłam za mąż, zaraz wracam". Rzucone gdzieś w kawiarni, przeleciało, pośmialiśmy się chwilę i tyle. A ona to zapamiętywała i takie zdanie stawało się potem szlagwortem, z którego powstawał skecz albo – jak w tym ostatnim wypadku – świetna piosenka dla Ewy Bem.

***

Dziś jestem tego pewny, że zanim Marysię poznaliśmy, już wiedzieliśmy, że ktoś taki jak Czubaszek musi istnieć i że jej bardzo potrzebujemy w naszej wesołej gromadce, którą był w tamtych czasach radiowy *Ilustrowany Tygodnik Rozrywkowy*. Sprowadził ją do nas Jacek Janczarski, bo Mańka gdzieś tam się z nim poznała, na radiowych korytarzach. Wtedy pisała już reklamówki do Jedynki.

Jacek wyczuł, że Marysia to nasza krew. Przedstawił ją nam, a ona przyprowadziła fajnych wykonawców, którzy z nią w tamtym czasie współpracowali: Dobrowolskiego, Łazukę, Pokorę. To już były wysokie progi aktorstwa, ale przyszli razem z nią i mogliśmy się z tego tylko cieszyć.

Mańka była taką naszą koleżanką, kumplem i damą do towarzystwa, a przy tym bardzo ładną dziewczyną. Wszyscy się do niej podwalali, ale udało się tylko jednemu z nas. Nie było jakiejś długiej walki, ustąpiliśmy najprzystojniejszemu, Jackowi Janczarskiemu. Każdy z nas miał swoją specjalizację. Ja usiłowałem czarować głupimi dowcipami, Jonasz – poezją, a Jacek – swoją męską urodą.

Najgorszą rzeczą w naszej pracy był zbliżający się termin oddania tekstu. Przeżywam to i dziś, bo piszę cotygodniowe felietony. I tak jak wtedy, siadam do pisania na dwie godziny przed deadline'em, bo wiem, że już nie ma „zmiłuj" i po prostu muszę. Teraz jest mimo wszystko łatwiej, bo mogę napisać, wysłać tekst mailem i mam spokój. Wtedy trzeba było napisać ręcznie, przepisać tekst na maszynie i zanieść do radia. Nie każdy umiał pisać na maszynie. Jonaszowi i mnie przepisywała teksty jego żona, Jaga. Mańka umiała sama stukać w klawiaturę. Samo posiadanie maszyny do pisania było w tamtych czasach dowodem na bogactwo.

W pracy, bywało, że się mijaliśmy, bo każdy miał inny termin oddania tekstów i nagrywania audycji. Ale czasami zostawaliśmy sobie porozmawiać albo poczytać teksty Mańki, bo nas śmieszyły. Nasze teksty śmieszyły nas jakoś mniej. Może przez elegancję, bo była jedyną damą, a może dlatego, że pisała trochę inaczej niż my, śmieszniej. W każdym razie gdy Czubaszek przychodziła na nagrania ze swoimi aktorami, to udawaliśmy, że mamy coś pilnego do roboty, żeby zostać w studiu, popatrzeć i posłuchać, jak oni pracują. A byli mistrzami w swoim fachu. Piekielnie poważnie mówili największe nonsensy.

A potem my mówiliśmy sami tymi „tekstami". Gdy już się z Mańką lepiej poznaliśmy, to spędzaliśmy ze sobą dużo czasu prywatnie. Może dlatego, że nie było towarzyskiej konkurencji. Nikt nas nie rozumiał tak dobrze, jak my siebie.

Nasze życie ogniskowało się w trójkącie pomiędzy „Hybrydami", placem Konstytucji a ulicą Mokotowską. To dosłownie parę przecznic w centrum Warszawy. Spotykaliśmy się u Adasia Kreczmara, który mieszkał w alei Róż. Potem szliśmy razem do Jacka Janczarskiego na Wiejską, gdzie miał za sąsiadkę samą panią Tuwimową. Albo na Jazdów do Jonasza. A jak byliśmy głodni, to wyskakiwaliśmy do „Szanghaju" przy Marszałkowskiej na „ryż z rozmaitościami" za szesnaście złotych. Rozmawialiśmy cały czas tym samym językiem, którym później mówiliśmy w skeczach radiowych. Opowiadaliśmy różne historie w formie niemal półprywatnej, udając Fachowców, Pana Sułka czy Rodzinę Poszepczyńskich. To za wprowadzenie nowego typu rozrywki radiowej dostaliśmy Złote Mikrofony. Ludzie byli pewni, że improwizujemy, mówimy z głowy. Nikt wcześniej tak nie robił audycji. A ta „improwizacja" oczywiście była głęboko przemyślana i przygotowana.

Potem doszło *60 minut na godzinę* Marcina Wolskiego. W ciężkich cenzuralnie i politycznie latach siedemdziesiątych za podpisanie listy poparcia dla aktorki Haliny Mikołajskiej i KOR-u zakończyliśmy działalność rozrywkową dla Trójki. Jeszcze raz wróciliśmy *Ilustrowanym Magazynem Autorów*, ale to już nie była ta radość i emocje.

Nasze kontakty z Marysią w sposób naturalny się rozluźniły. Zresztą odkąd rozstała się z Jackiem Janczarskim, a zaczęła być z Wojtkiem Karolakiem, to weszła w jego paczkę jazzową. Bardziej poświęcała im swój czas. Zaczęła wtedy pisać piosenki. Wojtek jej pomagał, było łatwiej, bo mieli całą fabrykę w domu i mogli tworzyć na miejscu. Wtedy Marysia stała się mniej osiągalna towarzysko. Zresztą wszyscy zaczęliśmy dorastać, mieć swoje rodziny i trzeba się było nimi zająć, zagrać poważnego ojca i męża.

Lata mijały, a Marysia fizycznie się nie zmieniała. To była fantastyczna postać, coraz mądrzejsza, w dowcipie bardziej precyzyjna, o większej wiedzy i możliwościach, ale pod innymi względami się kompletnie nie starzała.

W pewnym momencie zaczęła robić wywiady dla miesięcznika „Pani". Najłatwiej jej było oczywiście zadzwonić do starych kumpli. I pewno dlatego podrzuciła im moje nazwisko. Zgodzili się chętnie, Maryśka złapała za telefon i do mnie dzwoni:

– Funiu, proszę cię, umówmy się w kawiarni koło mojego domu. Przyjdź. Muszę z tobą wywiad przeprowadzić, bo teraz jestem redaktorką.

Ucieszyłem się, ale też mnie to rozbawiło. Minęło tyle lat, a ja wciąż dla niej byłem „Funiem".

– Przecież mnie znasz. Możesz napisać ten wywiad nawet bez spotykania się ze mną.

– Ja wiem, ale spotkajmy się. Jest okazja, żebyśmy się sobie przypomnieli.

No jak jest okazja, to trzeba się spotkać. Marysia zrobiła ten wywiad ze mną. Potem minęły lata. Na ulicy Wiśniowej mój syn otworzył kawiarenkę „Poranna". Marysia, jak się dobrze wychyliła z okna, to mogła ją zobaczyć.

Mój syn kochał jazz i miał pomysł, by na podwórku kawiarni w letnie wieczory odbywały się muzyczne jam sessions. Mieszkańcy zgodzili się, przyszli, usiedli na leżakach. Każdy przyniósł jakieś zaopatrzenie. Ktoś sprzedawał jakieś swoje wyroby kulinarne, inny smażył kiełbaski. W kawiarence kupowali koktajle i rozsiadali się na tych leżakach.

Wojtek Karolak przytargał swoje organy Hammonda, Marysia pomagała mu je rozłożyć. A potem on zaczął pięknie grać, a myśmy rozmawiali.

– Co robisz, Funiu?

– Pracuję w teatrze. A ty?

– A tam... Piszę takie pierdoły. Ale kiedyś to było fajnie?

– Oj, fajnie...

I oczy nam zaszły jakąś mgłą. W zasadzie nie było o czym więcej mówić. Słuchaliśmy muzyki, patrzyliśmy w nocne niebo i to nam wystarczało.

\*\*\*

Gdy odprowadzałem ją w maju 2016 roku w jej ostatnią drogę, pomyślałem, że z tej całej naszej grupy nie ma już nikogo. Zostałem tylko ja. Może zostałem po to, żeby o nas powiedzieć? Moi koledzy patrzą z góry i mówią: „Dobra, Stefan, teraz ty wszystko opowiesz. Możesz dodawać, co tam chcesz, bo ty to umiesz... Poczekaj, aż przyjdzie do ciebie taki dziennikarz, nie wiadomo skąd, może z Anglii, może z Wałbrzycha... Pamiętaj, że byliśmy najlepsi, najdowcipniejsi, najfajniejsi. Nie mieliśmy aż tak wielkich problemów. Na co dzień lubiliśmy się, żyliśmy tym, co napisaliśmy, spotkaniami, taką fajną twórczą beztroską. Opowiadaj, a my tu na ciebie poczekamy".

No to mówię...

**Praca z nią
była przyjemnością.
Tylko – do licha! –
czemu się mnie bała?**

# GRZEGORZ MIECUGOW

T elewizyjne programy publicystyczne od zawsze cierpią na deficyt kobiet. Ludzie to widzieli i dlatego podczas spotkań albo w SMS-ach powtarzał się ten zarzut w stosunku do *Szkła kontaktowego*.

Kiedy zaczynaliśmy, skład się często zmieniał i wtedy tego tak nie zauważaliśmy, ale około 2006 roku ustaliła się podstawowa piątka: Przybylik, Daukszewicz, Andrus, Jachimek, Zimiński. Do tego dwaj prowadzący. Sami mężczyźni. Kiedy po raz kolejny słuchacz zapytał: – A dlaczego nie ma u was żadnej pani? – zacząłem myśleć o Marysi.

Nie mogliśmy się znać z Trójki, bo zacząłem tam pracować w 1987 roku, gdy Marysi Czubaszek już tam dawno nie było. Ale spotykaliśmy się gdzieś na korytarzach radia i na przeglądach piosenek kabaretowych, gdzie zdarzało nam się wspólnie zasiadać w jury. Oczywiście, dobrze wiedziałem, kim ona była. Cała Polska znała jej dialogi pisane dla Jurka Dobrowolskiego, Tadeusza Rossa czy Wojciecha Pokory.

Wiedziałem, że potrzebujemy dokooptować do naszego składu kobietę, chciałem, by to była Marysia Czubaszek, ale bardzo długo się wahałem, czy jej to w ogóle zaproponować. Miałem świadomość, że w takim zaproszeniu do cyklicznego programu jest pewna „nieodwracalność". Gdy zaprasza się osobę „z dorobkiem", to nie można po jednej, dwóch audycjach powiedzieć jej: „do widzenia". Młody człowiek wzruszy ramionami i pójdzie dalej, a w tym wypadku po prostu tak zrobić nie mogłem. Dlatego czekałem na dobrą okazję.

Dziś często się zdarza, że mamy audycje „wyjazdowe". To zupełnie inna sytuacja. Można kogoś zaprosić bez zobowiązań na przyszłość. Wtedy jednak czekałem, nie bardzo wiedząc, jak to zaaranżować. W końcu los się do mnie uśmiechnął. Zaproponowano mi poprowadzenie programu sylwestrowego. Poprosiłem, by towarzyszyli mi Marek Przybylik i Marysia Czubaszek. Sylwester z natury rzeczy jest programem okazjonalnym, więc pomyślałem, że jeśli coś pójdzie nie do końca tak, jak sobie to wyobrażałem, to rozstaniemy się bez pretensji.

*** 

To był jeden z najtrudniejszych wieczorów sylwestrowych, jakie prowadziłem. Największą wpadką okazała się scenografia. Posadzono nas na wysokich i potwornie niewygodnych stołkach barowych. Przybylik, kawał chłopa – 190 centymetrów, czuł się na tym krześle źle. A Marysia, krucha ptaszyna, przez trzy godziny chybotała się, ledwo łapiąc równowagę, i była naprawdę dzielna, że to wytrzymała. Dodatkowo, program sylwestrowy ma swoją specyfikę. Dzwonią ludzie z życzeniami, zaczynamy jakieś tematy, a potem musimy szybko pokazać obrazek z Moskwy, gdzie już jest Nowy Rok... Nie wiem, czy słusznie, ale wtedy uznałem, że to specjalne wydanie *Szkła kontaktowego* nam się nie udało i odłożyłem pomysł zaproszenia do nas Marysi Czubaszek na dobre trzy lata.

Nie porzuciłem jednak myśli o konieczności zaproszenia do naszej ekipy kobiety. Pamiętam, jak na zebraniu powiedziałem:

– Słuchajcie, musimy mieć w zespole dziewczynę, bo za chwileczkę to będzie aż gryzło w oczy!

Wtedy jedna z koleżanek przypomniała sobie, że na studiach miała zajęcia ze świetną babką, która pisze scenariusze do najpopularniejszych polskich seriali. I tak, na dwa lata, trafiła do nas Ilona Łepkowska. Kiedy się rozstaliśmy, już na spokojnie wróciłem do pomysłu z Marysią. Po pięciu latach mogłem sobie pozwolić na eksperymenty, bo mieliśmy już taką markę i zaufanie widzów, że nie musieliśmy jakoś specjalnie obawiać się o oglądalność i stawiać każdy krok z ostrożnością sapera.

Zresztą okazało się, że zaproszenie Marysi było strzałem w dziesiątkę. Ona od razu polubiła formułę naszego programu i dobrze się w niej poczuła. Miała też wtedy bardzo intensywny czas. Z Arturem Andrusem pisała książki i jeździła na spotkania z czytelnikami w bibliotekach i księgarniach. Zawsze jednak dbała, by wrócić w niedzielny wieczór i zdążyć przed rozpoczęciem emisji programu. Bardzo się przyzwyczaiła do naszego drugiego prowadzącego, Grześka Markowskiego, i równie mocno do Wojtka Zimińskiego. Chyba najmniej lubiła występować ze mną. Przez te lata zdarzyło się to nam nie więcej niż dziesięć razy, chyba dlatego, że nie było to dla mnie zręczne. W niedziele o dwudziestej trzeciej trzydzieści jest mój autorski program *Inny punkt widzenia*, a *Szkło kontaktowe* kończyło się o dwudziestej trzeciej.. Dlatego unikałem tych niedzielnych „zbitek".

***

Ale pamiętam nasz pierwszy wspólny wieczór, kiedy okazało się, że nie ma nikogo innego i *Szkło* muszę poprowadzić właśnie ja.

Odebrałem telefon. Dzwoniła nasza producentka.

– Rozmawiałam z panią Marysią i przekazałam jej, że dzisiaj ty prowadzisz *Szkło*.

– Jakiś problem?

– Tak. Ona się ciebie boi.

– Niemożliwe. Mnie?

Byłem tym naprawdę szczerze zmartwiony. Nie chciałbym skłamać, ale chyba naprawdę mało kto się mnie boi.

Spotkaliśmy się przed programem w „malowalni" – pokoju make-up.

– Pani Marysiu – zacząłem – dochodzą mnie słuchy, że pani się mnie boi.

A ona na to bez namysłu:

– Co ja zrobię, że bardzo się pana boję...

Tak mnie to poruszyło, że zastanawiałem się, czy w ogóle nie odwołać tego programu, ale – na litość boską! – jak można się mnie bać!?

Na szczęście wszystko poszło gładko. Ale dopiero po dwóch latach od tamtego wieczoru pani Marysia podeszła do mnie i powiedziała, że się już definitywnie przestała mnie bać i że możemy pracować razem bez żadnych przeszkód.

To był akurat ten moment w moim życiu, gdy postanowiłem rzucić papierosy. O tym, jaki stosunek do palenia miała Marysia – wszyscy wiedzą. Była pełna zdumienia, że chcę przestać palić, ale zrozumiała, gdy jej wytłumaczyłem. A w moim przypadku sprawa była prosta – poważnie zachorowałem i lekarz nie zostawił mi złudzeń: albo rzucę palenie, albo umrę. Marysia chodziła więc przed programem „na dymka" z Wojtkiem albo Grześkiem. Jest u nas, oczywiście, palarnia, ale bardzo daleko od studia, więc popularnością cieszą się miejsca, w których to się robi nielegalnie. Nie jest to pewno zgodne z prawem, ale byłbym ostatnią osobą, która by to potępiała. Wiele lat sam paliłem, więc doskonale rozumiem, co to znaczy chęć zapalenia papierosa, jak to może człowieka zdekoncentrować.

*** 

Na Marysię zawsze można było liczyć. Przychodziła do studia świetnie przygotowana. I nie była to tylko powierzchowna wiedza na temat wydarzeń z ostatnich dni. Ona doskonale pamiętała różne wydarzenia i wypowiedzi z kilku lat. Czasami jej się plątały nazwiska, ale przecież każdemu się plączą... Natomiast była żywo zainteresowana rzeczywistością.

Imponowała mi tym, że wszystko czytała i oglądała. Nie było przed nią żadnych tajemnic. Koledzy czasem nie mieli pojęcia, co tego ranka powiedział wicemarszałek i jak to skontrował poseł opozycji. Ona była na bieżąco. Ceniłem to, bo o wiele łatwiej się pracuje z taką osobą, niż z kolegą, który spędził całe przedpołudnie, kopiąc grządki, a potem przyjeżdża za piętnaście dziesiąta, szybkie malowanie i... na antenę!

Obycie i orientacja w różnorodnych tematach są kluczowe, bo nie wprowadzamy naszych gości w scenariusz programu. Zależy nam na spontanicznych komentarzach i ciekawej dyskusji.

Myślę, że Marysia lubiła nasz program również dlatego, że formuła nie zakładała tu utarczek słownych i konfliktów. Nikt nikomu nie musiał się odgryzać. A wiem, że na spotkania z nią czasem przychodziły jakieś bojówki, atakowały ją i próbowały sprowokować do pyskówek. U nas mogła się czuć bezpiecznie. Nie przypominam sobie nawet żadnych ostrych telefonów od widzów na temat Marysi. Powiem więcej... Gdy jeździłem po Polsce, na spotkaniach z widzami regułą było to, że ludzie przychodzili i prosili, żeby ją pozdrowić, przekazać jakąś książkę z dedykacją albo Babę-Jagę wyszywaną na chuście. Budziła sympatyczne, ciepłe uczucia.

\*\*\*

Miesiąc po śmierci Marysi zorganizowaliśmy w Darłowie wspominki w namiocie, który mieścił czterysta, może pięćset osób. Siedział z nami Wojtek

Karolak, Artur Andrus i Heniek Sawka. Był komplet widzów, którzy przyszli nie dla nas, tylko dla Marysi. Posłuchać opowieści i anegdot o niej, które najlepiej opowiada Artur Andrus. To było bardzo wzruszające spotkanie.

Zastanawiałem się, co ja najmocniej zapamiętam ze spotkań z Marysią. Chyba to, że zawsze przynosiła jakiś prezent dla mojego psa.

Gdy wchodziłem do „malowalni", ona już tam zazwyczaj była. Witaliśmy się, a ona wyciągała z torby przygotowaną już wcześniej kostkę, jakąś małą zabawkę czy specjalne „psie" cukierki, niepsujące zębów. To było z jej strony bardzo szczere. Po prostu była dobrym człowiekiem. Kochała psy za to, że są z natury dobre i bezinteresowne. One bezbłędnie wyczuwały w niej to, że była dobrym człowiekiem.

***

Po jej śmierci jedna z koleżanek, przy pomocy całego zespołu, zorganizowała akcję „kącik Marysi", w którym pokazujemy psy ze schroniska i namawiamy widzów, żeby je adoptowali. Horacy mówił: „nie wszystek umrę", mamy nadzieję, że ten pomysł podoba się Marysi, która patrzy na nas gdzieś tam z góry i widzi, że tak jak to lubiła, kończymy nasz program jej ukochanymi zwierzątkami.

# Marysia stała się w Warszawie moją opiekunką satyryczną

# KRZYSZTOF MATERNA

Do Warszawy przyjechałem z Krakowa. Miałem już za sobą okres studenckich kabaretów, Piwnicy pod Baranami, Kabaretu Groteska, *Spotkań z balladą*, ale nie miałem ani tytułu magistra, ani doświadczenia radiowego. Redakcja satyryczna Programu Trzeciego Polskiego Radia zaopiekowała się mną, a najwięcej zawdzięczam Jackowi Janczarskiemu i Marysi Czubaszek. To dzięki nim poznałem środowisko *Ilustrowanego Tygodnika Rozrywkowego*, czyli Jana Stanisławskiego, Adasia Kreczmara, Jonasza Koftę, Maćka Zembatego. To byli ludzie, którzy wyznaczali trendy w satyrze, a ITR był najpopularniejszą audycją, której się słuchało zbiorowo przy radioodbiorniku.

Marysia stała się w Warszawie moją opiekunką satyryczną.

Przychodziła do redakcji zawsze jako pierwsza, już o siódmej rano. Ja byłem drugi – pojawiałem się około dziewiątej i natychmiast zaczynaliśmy jarać przy otwartym oknie. Jako trzeci przychodził Marcin Wolski i musieliśmy za każdym razem wysłuchać jego kazania o naszym znikotynizowaniu.

W redakcji każdy z nas starał się robić to, co najlepiej potrafił. Ja nigdy się nie uważałem za tak zwanego warsztatowca pisanego. Żyłem ze skojarzeń z rzeczywistością, przenosząc te obserwacje na skecze czy pewien rodzaj improwizacji. Marysia pisała cały czas z papierosem. Marcin Wolski czytał nam to, co napisał w domu. Musieliśmy to chwalić, a potem mówiłem, jak by to wyglądało, gdybym to zrobił na scenie.

Scena była dla mnie punktem odniesienia, a radio tylko przystankiem i nigdy nie weszło mi do krwiobiegu jak Wojtkowi Mannowi czy Marysi. Co nie znaczy, że nie napisałem paru żartobliwych słuchowisk. Znalazłem się nawet w finale zamkniętego konkursu radiowego, gdzie tekst oddawało się w kopertach podpisanych pseudonimem. I byłem niesamowicie dumny, bo dostałem drugą nagrodę, a Jeremi Przybora trzecią. Oczywiście to przypadek, ale jestem dumny do dzisiaj.

Dzięki Trójce przetrwałem najtrudniejszy czas w moim życiu, gdy w 1970 roku trafiłem do Szczecina, do jednostki wojskowej o zaostrzonym rygorze. Dzięki przyjaciołom mogłem nagrywać swoją cykliczną czterominutową audycję dla ITR-u – *Przystanek*. Zarabiałem na tym kokosy – trzysta piętnaście złotych miesięcznie. A żołdu miałem piętnaście złotych. Prawdziwie „oficerska" pensja sprawiała, że moja niedola szeregowego była bardziej znośna.

Kiedy przyszedł czas, że musiałem się rozstać z Trójką – a było w tym sporo mojej winy: zapomniałem o dyżurze, nie przyszedłem na audycję na żywo, miałem jakieś wyskoki... – Marysia, jak tylko mogła, pomagała mi i rozpinała nade mną parasol ochronny. Zbliżyło nas też to, że ona stała się parą z Wojtkiem Karolakiem, a ja byłem z tym środowiskiem muzycznym bardzo mocno związany. Znałem dobrze Wojtka czy Tomka Stańkę, prowadziłem koncerty Czesława Niemena. Znów byliśmy w jednym środowisku.

Wielokrotnie rozmawialiśmy z Wojtkiem Karolakiem o Marysi. Zgadzaliśmy się co do tego, że w swojej twórczości jest kompletnie oderwana od otaczającej nas rzeczywistości. Była mistrzynią absurdalnych skojarzeń słownych, które genialnie przekazywali słuchaczom Jurek Dobrowolski i Wojtek Pokora. A jednocześnie jej abstrakcyjna poezja była szalenie liryczna. Uwielbiam jej piosenki, które tworzyła w duecie z Wojtkiem Karolakiem dla Ewy Bem. To dla mnie perełki, jedne z najwspanialszych w całej polskiej muzyce rozrywkowej.

\*\*\*

Aby zrozumieć fenomen Marysi Czubaszek, trzeba powiedzieć trochę więcej o tamtych czasach.

Myślę, że spory wpływ na wysoki poziom ówczesnych tekstów miała cenzura polityczna. Dlatego wtedy powstawała największa liczba tekstów, które nie wprost opowiadały o polityce. Myśleliśmy o metaforach, skojarzeniach, które podskórnie coś dawały, wymagały od słuchacza czy od widza jakiegoś wysiłku. Od czasu, kiedy nastąpiła wolna Polska i zniesiono jakąkolwiek cenzurę, twórczość satyryczna stała się znacznie trudniejsza. Bo jak mogę kogoś nazwać wprost tak, jak myślę, to przestaje to być satyrą. Albo jest satyrą niższego gatunku, bo ani od autora, ani od widza nie wymaga myślenia.

Oczywiście w tamtych czasach bywały również oszustwa. Cenzorowi mówiło się jedno, a na scenie wykonywało co innego, w pewnym sensie na własną odpowiedzialność. I z tego były, albo i nie – konsekwencje. Jak ktoś zauważył i doniósł władzy, to kabaret miał problem. Wiem, że na pewno takie problemy miał kabaret Tey i Janek Pietrzak z czasów najostrzejszej „Egidy". Ale z trzeciej strony... kabaret był rodzajem wentyla bezpieczeństwa, na który władza pozwalała. Bo były wypadki, że nawet tak zwani towarzysze przychodzili do kabaretu i patrzyli, jak ludzie zgromadzeni w amfiteatrze zaśmiewają się z najostrzejszych żartów, które wtedy funkcjonowały. Widzowie mówili: mogę tego słuchać, więc mam chwile wolności. Pójście do kabaretu było mniej więcej czymś takim jak słuchanie Wolnej Europy. Tak się to odbywało. Zresztą podobnie było w PRL-u w teatrze. Jeślibyśmy przeanalizowali twórczość Mrożka, to po odzyskaniu przez Polskę wolności zaczęła być po prostu jednowymiarowa. Natomiast my premierę *Tanga* odbieraliśmy jako spektakl polityczny. Już nie mówię o *Dziadach*... Do tego dochodziło jeszcze takie poczucie, że właściwie wszystko, co było w obiegu ściśle biletowanym, czyli w teatrze, kabarecie, miało wymiar czegoś nadzwyczajnego. Inna była ranga teatru, kabaretu niż teraz.

Wystarczy porównać zalew praśnych żartów dzisiaj w telewizji publicznej z tym, co ta sama TVP nadawała w czasach najostrzejszej cenzury: Kabaret Starszych Panów czy kabaret Olgi Lipińskiej. Sądząc po tym, co nadaje dzisiaj telewizja, to wszyscy jesteśmy idiotami. Premier jest idiotą, dowódca policji jest idiotą, szef jest idiotą, sekretarka jest idiotką, i grają to nie zawodowi aktorzy, tylko jacyś amatorzy, którzy używają jarmarcznych środków typu seplenienie, wykrzywianie ust, wypychanie cycków, krótkie spodnie, duże okulary. Tak, to są środki aktorskie współczesnego kabaretu w telewizji!

Cztery dekady temu to byłoby nie do pomyślenia. Odbiorca był traktowany jak człowiek inteligentny, a z cenzurą prowadziło się grę. Najwyższym stopniem wtajemniczenia było to, czego się władza bała najbardziej, czyli coś, czemu nie można było niczego ze względów tych formalnie cenzuralnych zarzucić. A wszyscy i tak wiedzieli swoje. Piwnica pod Baranami była kompletnie abstrakcyjna, jeśli chodzi o zawartość literacką. Można tam było znaleźć teksty przedwojenne, wspaniałą poezję. I nagle cenzura podejmowała decyzję, by zamknąć Piwnicę, tak na wszelki wypadek, bo cenzorzy nie wiedzieli, co w tym drzemie takiego, gdzie jest ta „wywrotowa" siła. Radiowe perełki językowe Marysi też były w taki sposób odbierane. To był językowy Monty Python tamtych czasów.

***

Najlepsze, że Marysia chyba się w ogóle nie interesowała polityką. Nie przypominam sobie, byśmy jakoś „świętowali" zwycięstwa nad cenzurą, gdy coś „przeszło". Chyba nie podchodziliśmy do tego poważnie. To nie był KOR satyryczny, po prostu jak dzieci przekładaliśmy to, co myślimy, na naszą twórczość. Nie byliśmy działaczami opozycji. Natomiast mieliśmy w naszym pokoju „wewnętrzną cenzurę" w postaci Marcina Wolskiego, który stał się kierownikiem redakcji w okresie, kiedy ITR zaczął już mieć kłopoty. Dlatego ITR przekształcono w IMA, a obok niego powstała audycja *60 minut na godzinę* – mniej satyryczna, a zatem bardziej bezpieczna dla władzy. Jej szefem został Wolski, a jedyną osobą, która sprzedawała tam jeszcze treści satyryczne, był Jacek Fedorowicz.

Marcin Wolski był kierownikiem redakcji, a jednocześnie należał do PZPR, i co jest najśmieszniejsze, sam siebie cenzurował. Czytał na głos swój tekst i mówił: „to chyba nie przejdzie". Potem szedł bronić kolegów do cenzury politycznej, czyli do słynnej pani Zarembiny, która była takim cerberem od polityki, ochrony ustrojowej. Najpierw szczerze bronił kolegów, i to mu się kłóciło z sumieniem członka partii, więc odpuszczał tę obronę, wracał do nas i mówił: „niestety, nie przeszło". Bardzo skomplikowana, moim zdaniem, tragiczna postać.

Nie przejmowaliśmy się tym zbytnio, bo w tamtych czasach bardziej niż walka z reżimem liczyło się życie towarzyskie.

Wieczór zaczynaliśmy w SPATiF-ie w Alejach Ujazdowskich, a potem polewaczką jechaliśmy do Ścieku (knajpy Stowarzyszenia Filmowców Polskich). Dosiadaliśmy się do tak zwanych mistrzów, wybierając tych, którzy akurat byli w lepszej dyspozycji albo mieli ciekawsze anegdoty. Mam wrażenie, że niektórzy mistrzowie w ogóle ze SPATiF-u nie wychodzili. Tam zresztą powstawały teksty, tam się angażowało kolegę do jakiegoś występu czy nagrania. Również takim zaczynem intelektualnym był stolik w „Szpilkach" przy placu Trzech Krzyży, gdzie można było spotkać zawodowych satyryków. Tam siadali Janusz Minkiewicz, Eryk Lipiński, Antoni Marianowicz, tam przychodzili najlepsi rysownicy polscy, satyra rysunkowa, czyli wszystkie Mleczki i Sawki, a przede wszystkim Andrzej Dudziński. To był taki czas, o którym trudno w ogóle opowiedzieć. Nie zapomnę, gdy wchodziłem do SPATiF-u jako przyjezdny z Krakowa i tam mogłem dostąpić zaszczytu, żeby usiąść przy stoliku Stanisława Dygata czy Gustawa Holoubka. A potem zawołał mnie Himilsbach, bo nie miał na pięćdziesiątkę, ale za to mi opowiedział trzy historie. Obok był Zdzisław Maklakiewicz, bracia Kondratiukowie. To były jakieś nieprawdopodobne spotkania, które miały ogromny walor intelektualny. Wielokrotnie też bywałem na domówkach u Marysi, w jej maleńkim mieszkaniu przy ulicy Świętokrzyskiej. Imprezy były składkowe: jeden przynosił wódeczkę, drugi kiełbasę, trzeci konserwę albo puszkę z brzoskwiniami. To, co akurat udało się zdobyć. Cenny był też sok grejpfrutowy w puszce. Choć śmierdział konserwą, to do drinków się nadawał. I to się liczyło. Takie imprezy trwały do rana, a gdy padłem, to spałem u Marysi przykryty jakąś kurteczką.

Nie mieliśmy poczucia, że marnujemy czas, bo zawsze na imprezach rozmawiało się o czymś istotnym. Nie było takich dzisiejszych „small talków", które nie wnoszą niczego istotnego intelektualnie ani nawet towarzysko – są po prostu puste. Na tych spotkaniach pojawiali się artyści. A artysta od celebryty różni się tym, że zawsze ma coś do powiedzenia. Jak dzisiaj spotykam na przykład Wiktora Zborowskiego, to on zawsze ma mi coś do opowiedzenia. I ja mu też coś ciekawego opowiem.

Na takich imprezach oczywiście zawsze był alkohol. Jeśli go zabrakło, to się jechało na melinę i się go przywoziło. W Krakowie jeździłem na Kazimierz, a w Warszawie na Brzeską. To było całkowicie normalne, nawet byliśmy zaprzyjaźnieni z ludźmi w tych miejscach.

Czemu wódki nie kupowaliśmy w sklepach? Bo bywało z tym różnie. Były dni bezalkoholowe albo brakowało wódki na półkach. W Krakowie działał słynny pan Marcinkiewicz, szef komitetu przeciwalkoholowego, który doprowadził do tego, że do wódki trzeba było kupić zakąskę. A w restauracjach był taki okres, że wódkę można było dostać tylko w maleńkich kieliszkach – dwudziestkach piątkach. Nie mówiło się więc: „poproszę pół litra", tylko „dwadzieścia dwudzie-stek piątek". Dziwne czasy, z niesłychanym kolorytem. Cały czas coś się omijało, załatwiało. Ale mieliśmy to tak wpojone, że nawet nie mówiliśmy „kup mi", tyl-ko „załatw". Zawsze też można było liczyć na to, że ktoś nam pomoże. Jeśli w bloku był jeden aparat tele-foniczny, to całkiem oczywiste było, że się chodziło zadzwonić do tej osoby, chociaż byli to rozmaici ludzie. Bo jakby się nad tym zastanowić, to ciekawe, kto im pozwolił ten telefon założyć, prawda?

# Marysia na wszystko patrzyła z dużym dystansem. A na siebie – z największym

# ARTUR ANDRUS

**W**łaściwie to nie wiem, jak tę relację między nami można było nazwać.

Marysia tym bardziej by nie wiedziała, bo ona nie używała nigdy takich sformułowań, jak „przyjaźń", „koleżeństwo".

Zaczęło się tak jak w przypadku wszystkich jej kontaktów – od pracy. Spotkaliśmy się w Programie Trzecim Polskiego Radia. To było dla niej miejsce wyjątkowe, bo chyba jej największe przyjaźnie, czyli Jacek Janczarski, Adam Kreczmar, Jonasz Kofta, to właśnie ludzie, których poznała na Myśliwieckiej i z którymi tutaj pracowała.

Jak my się poznaliśmy... Sama to wspominała, bo ja nie pamiętałem. Anatol Potemkowski powiedział jej, że podobno jest jakiś nowy, ważny człowiek w radiu. Ale jak mnie zobaczyła, stwierdziła, że nie mogę być nikim ważnym, bo szedłem korytarzem i niosłem taśmy. A w radiu nikt ważny taśm nie nosi, tylko ma swoje biurko i o czymś decyduje. To było jej pierwsze rozczarowanie. Potem pewnie wiele różnych kolejnych rozczarowań spowodowało, że jakoś staliśmy się sobie bliscy i się polubiliśmy.

***

Marysia miała totalne poczucie humoru, to znaczy poczucie humoru było cały czas wokół niej, a nie dlatego, że ona sobie tak wymyślała albo chciała być zabawna, opowiadać żarty. Ona nie potrafiła opowiedzieć dowcipu, żeby go nie spalić. Ale za to na wszystko patrzyła z dużym dystansem. A na siebie – z największym. Chyba do niczego nie podchodziła tak do końca poważnie. Uważała, że życie jest na to zbyt krótkie. Oczywiście miała, jak każdy normalny człowiek, chwile smutku, załamania, kłopoty. Ale starała się tego nie pokazywać. Przeżywała je w samotności. Za to jak była między ludźmi, to wokół niej zawsze działo się coś zabawnego. Najczęściej zupełnie niezamierzenie. Czasem to było jakieś jej zdanie, wypowiedziane nie wiadomo dlaczego, nie wiadomo w jakiej chwili. Dlatego ludzie tak lubili z nią przebywać. Jak ktokolwiek ją raz spotkał, natychmiast się do niej garnął. Pamiętam, że ile razy były jakieś wyjazdy na festiwale czy przeglądy kabaretowe, ona zawsze miała pięć, sześć propozycji podwiezienia. Każdy wiedział, że będzie miał z nią świetną podróż.

Kłopotem mogły być co najwyżej papierosy. Ale ja z jej nałogu nigdy nie robiłem problemu. Gdy razem pracowaliśmy nad książkami, rzeczywiście musiałem brać pod uwagę to, że ona będzie paliła. Bo sama powtarzała wielokrotnie, że jak nie pali, to traci kontakt z rozumem. Coś w tym było. Bez papierosa po prostu nie umiała się skoncentrować, pojawiały się jakieś nerwy. Dlatego już wolałem, żeby paliła, mimo że wtedy się przy niej trochę nawdychałem nikotyny. Ale nie jestem na to jakoś specjalnie wrażliwy, choć sam nie palę. Natomiast w codziennych sytuacjach Marysia zawsze na to bardzo zwracała uwagę. Gdy w pobliżu był ktoś, kto nie lubił tytoniu, ona przy nim nie zapaliła. Odchodziła na bok. Nigdy nie namawiała nikogo do palenia papierosów. Nie zapaliła też u mnie w samochodzie, mimo że jej to proponowałem, bo wiem, jaki to był dla niej problem jechać kilka godzin bez papierosa. Wolała zatrzymać się, wyjść na chwilę. W ogóle zwracała uwagę na to, żeby nikomu nie sprawiać sobą przykrości. Wpadała w przesadę, bo chyba uważała, że wręcz sama jej obecność to zabieranie innym czasu. Nie zdawała sobie pewnie sprawy, jak dużo przyjemności daje ludziom bycie z nią. I naprawdę nie było w tym żadnej kokieterii. Po prostu tak zawsze o sobie myślała. I taki sam miała stosunek do swojej twórczości. Zawsze powtarzała:

– Przybora – proszę bardzo... Jonasz Kofta... To są prawdziwi twórcy.

A ona pisze „zwykłe głupoty". I tak to zawsze traktowała.

\*\*\*

Nasza znajomość w naturalny sposób ewoluowała w stronę przyjaźni. Podejrzewam, że Marysia po prostu zauważyła, że naprawdę nie jest dla mnie żadnym kłopotem. Może do mnie, bez większego skrępowania, zadzwonić i powiedzieć, że z czymś nie daje sobie rady. I wiedziała, że ja jej w tym spróbuję pomóc. Oczywiście, nigdy tego nie nadużywała. Nie było takiej sytuacji, w której ona by się mną wyręczała. Była naprawdę dzielna, w takim codziennym życiu. Jest to tak dziwne, że niemal nieprawdopodobne, bo jak się ją znało, to się przypuszczało, że przecież ktoś tak oderwany od rzeczywistości nie będzie umiał załatwić żadnej sprawy urzędowej. Nie uda jej się zamówić hydraulika do domu, bo nie będzie wiedziała, gdzie zadzwonić. A ona wszystko jednak jakoś ogarniała.

Wpadałem do niej często, choć powiedzieć o mnie, że stałem się u Marysi i Wojtka „domownikiem", to byłoby zbyt wiele. Bywałem głównie przy sprawach zawodowych. Zdarzyło się oczywiście parę razy, że umówiliśmy się na kawę, żeby po prostu pogadać, ale jednak to był intensywny kontakt zawodowy. A w tym zawodzie i w tej pracy akurat jedno drugiego nie wyklucza i można sobie to miło łączyć.

Marysia pracowała po to, żeby zarabiać pieniądze. Jakby była milionerką z urodzenia, na pewno by nie pracowała. Jestem tego więcej niż pewien. Uważała, że pieniądze jednak dają szczęście, wbrew popularnej maksymie, choć ona akurat nigdy nie miała takich pieniędzy, które by ją mogły uszczęśliwić. Może dlatego, że nie potrafiła o nie walczyć, a nawet po prostu o pieniądzach rozmawiać. Nie umiała zapytać wprost kogoś, kto ją zapraszał na jakąś

imprezę: „A ile na tym zarobię?". Niejednokrotnie jechała w ciemno. Dopiero później, jak nasza agentka, Gabrysia, zaczęła jej organizować spotkania, to polepszyła się jej sytuacja finansowa. Wcześniej często była wykorzystywana, bo gdy nie pytała o pieniądze, to jej nie płacono. Ktoś organizował spotkanie, na którym pewnie nieźle zarabiał, a jej dawał zwrot kosztów podróży i płacił tyle, że wystarczyło na karton papierosów. A Marysia wiedziała, że musi zarabiać pieniądze, bo jakoś trzeba żyć, zapłacić za mieszkanie. Mawiała, że wena przychodzi do niej najczęściej, kiedy widzi trzy niezapłacone rachunki. Wtedy siadała i zaczynała pisać, bo już wiedziała, że musi.

Wykorzystywano też jej słabość do zwierząt. Parę razy opowiedziała mi o tym – pewno przez przypadek, bo nie lubiła o takich rzeczach mówić. Zdarzali się jacyś szaleni twórcy prywatnych schronisk, którzy trzymali po trzydzieści psów. Nie zajmowali się nimi weterynaryjnie i po dwóch miesiącach okazywało się, że mają tych psów sześćdziesiąt. No to dzwonili do Czubaszek, że oni już nie mają za co zwierzętom kupić jedzenia, a ona słała te pieniądze gdzieś tam do kogoś, bo przecież psów głodnych nie zostawi.

Gdy nie miała pieniędzy na życie, to jej pożyczałem. Zawsze oddawała. Pod tym względem była rzeczywiście bardzo skrupulatna. Sama pilnowała wszystkich terminów. Dbała, by być w porządku. Dlatego nie miałem żadnych oporów, by jej w taki sposób pomagać.

***

Marysia nie przepadała za zbytnim spoufalaniem się z innymi. Nie szukała kontaktu z nowymi ludźmi, ale to wynikało po części z tego, że miała obawy, czy dla młodego pokolenia jest jeszcze w jakikolwiek sposób atrakcyjna. Mówiła:

– Czym taka starucha może im zaimponować? Co ciekawego powiedzieć?

Nie wierzyła w siebie. Ale jak już zaczęła jako jurorka jeździć na festiwale i przeglądy kabaretowe, to szybko znalazła wspólny język z młodymi twórcami. Oni od razu dostrzegli, że Marysia nie ma blokady pokoleniowej, że to nie starsza pani, która będzie ich „nauczała", jak się powinno pisać teksty i występować na scenie. Co najwyżej może otwarcie im powiedzieć, jak ona to odbiera. I rzeczywiście zawsze szczerze mówiła, co czuje. Podejrzewam też, że ta szczerość powodowała, że oni chętnie przebywali w jej towarzystwie. Choć przecież to nie było na takiej zasadzie, że ona się do nich garnęła czy chciała być równą ciocią, która przyjdzie, klepnie kogoś w plecy, poczęstuje papierosem. Nie. Ona miała bardzo zdrowe podejście – jeżeli jacyś ludzie odpowiadali jej swoim poczuciem humoru, dobrze się w ich towarzystwie czuła, to się na nich otwierała.

Miała swoich ulubieńców, na przykład mocną ekipę kabaretową z Zielonej Góry. A najbardziej jej się podobał kabaret Hrabi. Bardzo lubiła Kabaret Moralnego Niepokoju Roberta Górskiego. Ale wciąż wracała do idoli z czasów swojej młodości: do Jeremiego Przybory czy Jonasza Kofty. Nie ma co ukrywać, to byli jej ulubieni twórcy.

Lubiła kabaret, ale nawet jak coś jej się bardzo podobało, to nie wpadała w zachwyt tak, by nie spać po nocach. Chętnie kibicowała młodym, którzy stawiali pierwsze kroki na scenie. Jak współpracowaliśmy przy programie HBO *Na stojaka*, to Marysia sprowadziła tam młodych artystów, których gdzieś wypatrzyła na festiwalach i przeglądach kabaretowych. Jednak nie uważała kabaretu za najważniejszą rzecz na świecie. Chyba zresztą żadnej rzeczy na świecie nie uważała za „najważniejszą". Nawet takich spraw, jak uczucia, miłość, przyjaźń. O miłości nie mówiła nigdy. Choć my doskonale wiedzieliśmy, patrząc na nią i na Wojtka, że to jest prawdziwa miłość. Myślę, że wielu ludzi marzyłoby o tym, żeby mieć taki związek, ale ona nawet do tak wielkiej miłości nie podchodziła poważnie.

***

Najważniejsze dwie pamiątki, które mam po Marysi, to nasze wspólne książki. I uważam, że to dla mnie wielkie szczęście. Bo tyle, ile nagadaliśmy się przy tym – tego już nam nikt nie odbierze. Ale mam jeszcze jedną pamiątkę... Byliśmy razem w Szwajcarii, na wspólnym występie. Na lotnisku w Zurychu zobaczyłem na wystawie sklepowej zegarek. Pewno patrzyłem na niego o sekundę za długo, bo Marysia to dostrzegła, choć nie dała tego po sobie poznać. Potem gdzieś się odwróciłem, straciłem ją na chwilę z oczu. A ona, gdy tego nie widziałem, wróciła do sklepu, kupiła zegarek i mi go podarowała. Noszę go do dziś. Innych pamiątek po niej nie mam. Ale ona nie miałaby o to do mnie pretensji, bo nie przywiązywała wagi do takich rzeczy. Nie zbierała pamiątek, raczej sama lubiła dawać prezenty. Przychodziła do urzędniczki w okienku załatwić banalną sprawę i przynosiła czekoladki. Chyba lubiła po prostu sprawiać ludziom przyjemność, żeby się w jej towarzystwie dobrze poczuli.

Marysia mówiła wielokrotnie o tym, że jest już na tym świecie za długo. Uważała, że ludzie powinni żyć do trzydziestki, a potem życie i tak już nie ma sensu. Myślę, że tak naprawdę bała się, że będzie problemem dla Wojtka Karolaka. Martwiło ją to, że będzie wymagała opieki. Bardzo chciała takiej sytuacji uniknąć. Marzyła o tym, by odejść szybko, bez kłopotu dla najbliższych. Oczywiście, tak się nie da. Wojtek bardzo cierpi. Wielu ludziom na pewno jej brak. Ja też często odczuwam coś takiego, że chciałbym do niej zadzwonić, pogadać z nią, gdzieś razem pojechać. I wiem, że to jest już niemożliwe.

Byłem na to przygotowany, bo towarzyszyłem jej w tym, co się działo w ostatnim okresie jej życia. Wiedziałem, na co cierpi, i że to nie jest zwykłe przeziębienie. Marysia po kolejnych pobytach w szpitalu nie wracała już do dawnej formy. Spodziewałem się, że się może tak skończyć. I tak się, niestety, skończyło.

***

Znalazłem kiedyś u niej w piwnicy walizkę, a w niej mnóstwo maszynopisów. To było niezwykłe odkrycie, bo gdy się zapytało Marysię o jej dawne teksty, wzruszała ramionami. Niby po co miałaby zbierać jakieś nikomu niepotrzebne szpargały? Do własnej twórczości nie miała nigdy nabożnego stosunku. Zebrałem te papiery i wydałem w książce *„Boks na ptaku"*. I zaraz po tym, gdy znalazła się w księgarniach, okazało się, że jeden z tekstów, które przedrukowałem, był napisany przez Jeremiego Przyborę. A ja tego nie wiedziałem. Fakt, nie był podpisany „Maria Czubaszek", ale też nie miał podpisu „Jeremi Przybora". Leżał wśród pięciuset tekstów Marysi i miałem chyba prawo podejrzewać, że to jej utwór. Ona, oczywiście, nie przeczytała tej książki przed drukiem. Nigdy tego nie robiła. Chyba szkoda jej było na to czasu. Rozmawiałem w tej sprawie z Kotem Przyborą, powiedziałem mu, jaka jest sytuacja. Podejrzewaliśmy, że Jeremi Przybora przyniósł swój tekst i dał go Marysi jeszcze w czasach, gdy ona zajmowała się w radiu redagowaniem i przygotowywaniem materiału do audycji. Marysia go przepisała, a potem odłożyła na bok i za jakiś czas przypadkowo zgarnęła z biurka. Tak trafił do walizki.

Przypadek, ale dla autora książki na pewno rzecz nieprzyjemna. Dlatego gdy tylko się o tym dowiedziałem, zadzwoniłem do niej i mówię:

– Marysiu, w książce, przez to, że jej w ogóle nie przeczytałaś, jako twój zamieściliśmy tekst Jeremiego Przybory.

A ona bez sekundy zastanowienia odpowiedziała:

– To przynajmniej jeden dobry się tam znalazł!

I na tym skończyła dyskusję.

Nie znosiła autoryzowania swoich tekstów. Miała przez to parę sytuacji nieprzyjemnych. Gdyby przed drukiem spokojnie przeczytała to, co powiedziała, mogłaby niektóre rzeczy inaczej sformułować. A tak – już nie było odwrotu.

Ale zdarzały się też i śmieszne wpadki. Kiedyś pisała cotygodniowe felietony do pewnego dziennika. A były to jeszcze czasy przedkomputerowe i swoje teksty wysyłała faksem. Na którymś z tych tekstów ręcznie dodała na końcu dopisek do pań redaktorek: „A kiedy będą pieniądze? Całuję, Marysia". I one to wydrukowały. Potraktowano to w redakcji jako zabawną puentę felietonu...

# Marysia, którą znałam, była zupełnie inna, niż łatki, które jej przypięto

## MAŁGORZATA RADUCHA

**N**asza wspólna audycja *Bieg przez plotki* była nadawana w Programie Pierwszym Polskiego Radia w czwartki o dziesiątej rano. Zazwyczaj emitowano ją na żywo, ale wbrew temu, co niektórzy słuchacze sądzili, nie była to do końca improwizacja. Miałyśmy scenariusz rozpisany na role – to głównie zasługa Marysi, która była błyskotliwa, z ogromnym wyczuciem puenty. Ja zazwyczaj odgrywałam zdziwioną dziennikareczkę, która reaguje spontanicznym „O matko!" lub dziwi się: „Naprawdę?".

To był naturalny podział, bo Marysia była człowiekiem pióra, ale zanurzona w takim starym, dobrym, literackim radiu. Dla niej ważne było słowo. Kultowe dialogi, które pamiętamy z Trójki, najczęściej wyszły spod jej ręki. Określenia typu: „wyszłam za mąż, zaraz wracam", „miłość jest jak niedziela", „serwus, jestem nerwus", „dzień dobry, jestem z kobry" – trafiły już do języka potocznego. Miała niezwykłe, absurdalne poczucie humoru. Może dlatego, że zaczynała w reklamie? W każdym razie to ona wzięła na siebie ciężar przygotowywania scenariusza naszej audycji.

Marysia miała już wtedy komputer, ale jeszcze nie nauczyła się z niego korzystać. Stukała więc w klawiaturę starej maszyny do pisania i przynosiła do radia maszynopis. Oczywiście był to tylko taki, mówiąc językiem dzisiejszym, „draft", do którego jeszcze dużo dodawałyśmy od siebie, upiększałyśmy go. Hołdowałyśmy starej, dobrej, teatralnej zasadzie, że każda improwizacja musi być dobrze przygotowana.

Zazwyczaj nie było czasu na „naczytanie", czyli zapoznanie się z tekstem. Chyba że Marysia przyszła na tyle wcześnie, że jeszcze zdążyłyśmy pójść razem „na dymka", bo wiadomo, że ona była wyznania palącego. Zresztą miała na ten temat też piękną anegdotę, którą chętnie się dzieliła:

– Mówi się, że każdy papieros skraca życie o siedem minut. No! Gdybym nie paliła, miałabym dzisiaj sto lat, a tak – proszę, jakoś się trzymam.

To była jej ulubiona riposta, gdy ktoś jej zarzucał, że rujnuje sobie papierosami zdrowie.

Pomysłodawcą naszego programu był Zygmunt Chajzer, który w tamtym czasie szefował programowi *Cztery pory roku* i to on wymyślił, że w paśmie porannym znajdzie się taki, nazwijmy to, kącik wyśmiewania celebrytów. Marysia Czubaszek była pierwszym nazwiskiem, które przyszło nam do głowy. Najpierw pojawiła się kilka razy jako gość, a potem postanowiłyśmy, że zostanie naszą stałą komentatorką. W tamtym czasie Marysi w mediach nie było niemal wcale. Przed mikrofon nigdy się nie pchała, wolała to oddać zawodowcom, a jej żywiołem było pisanie. Pracowała przy listach dialogowych seriali i filmów. *Bieg przez plotki* miał być jej pierwszą, długoletnią audycją cykliczną, w której samodzielnie komentowała rzeczywistość.

Odzew był naprawdę niesamowity. Pamiętam, że słuchali nas politycy od prawej do lewej, a były premier, Józef Oleksy, mówił, że to ulubiona audycja jego żony. Kiedyś dostałam kartkę od Marty Lipińskiej, dla mnie legendy teatralnej i radiowej, z gratulacjami. Napisała, że nasza audycja jest świetna, a ona stara się opóźniać w czwartki próby w teatrze, żeby o dziesiątej posłuchać *Biegu przez plotki.*

\*\*\*

Oczywiście bywały też sytuacje nieprzyjemne. Chyba nie da się stworzyć i prowadzić takiej audycji, by się nikomu nie narazić. Jednym z naszych ulubionych, nazwijmy to, „antybohaterów" był pewien aktor, znany głównie z tego, że jest „znany". Grał jedną z głównych ról w podrzędnym serialu, a jako aktor był tak strasznie „drewniany", że aż zęby bolały, jak się patrzyło na to, co on wyprawia na małym ekranie. Pech chciał, że zginął tragicznie w wypadku samochodowym. Dostałyśmy wtedy po głowie od słuchaczy, którzy uważali, że przyczyniłyśmy się do jego śmierci. To bolało, choć było całkowicie niezasłużone i niesprawiedliwe. Faktycznie śmiałyśmy się z jego aktorskiej sztuki, ale przecież to nie to samo, co życzenie komuś śmierci.

Podobna sytuacja była z innym aktorem serialowym, który przez krótki moment był naszym „ulubieńcem". Miał w pewnym momencie jakieś kłopoty prawne. Kiedyś zjawił się w radiu osobiście, pokazał wszystkie pisma sądowe i powiedział, że żąda na antenie sprostowania kłamliwych informacji, które niby rozsiewałyśmy na jego temat. Nie chciał przyjąć do wiadomości, że posługiwałyśmy się wyłącznie cytatami. Przecież nie wymyślałyśmy sobie niczego. Zawsze bazą naszych prześmiewczych czy nawet obrazoburczych dialogów była prasa. Na pewno czasem naruszałyśmy czyjeś „dobra osobiste", ale naszą intencją, i wydaje mi się, że pod tym względem rzeczywiście byłyśmy pionierkami, było prześmiewanie „celebryctwa" w napuszonym wydaniu.

Audycja była najczęściej nadawana na żywo, chyba że Marysia gdzieś wyjeżdżała. Ale to zdarzało się naprawdę rzadko, bo ona była osobą „miejską", a nawet więcej – warszawską. Nienawidziła wyjeżdżać za miasto. To zawsze było dla niej prawdziwe nieszczęście. Natomiast jeżeli już się tak zdarzyło, to nie był to nigdy żaden urlop czy wyjazd dla przyjemności, tylko praca, na przykład wtedy, gdy jurorowała na festiwalu dobrego humoru.

*Bieg przez plotki* nadawano przez siedem lat. Nazwa była moja, natomiast cała reszta spoczywała na wątłych barkach Marysi. Ale wydaje mi się, że to, co najistotniejsze, to fakt, że w ciągu tych siedmiu lat nawiązała się między nami prawdziwa przyjaźń.

*** 

Celebrowałyśmy nasze małe tradycje, zawsze dwa razy do roku: przy okazji świąt Bożego Narodzenia i Wielkiej Nocy szykowałam jej „wyprawkę jedzeniową", bo ja zawsze byłam ta gotująca, a Marysia – wręcz przeciwnie. Całkiem poważnie mówiła, że na święta Bożego Narodzenia przyrządza barszcz z torebki i paluszki rybne.

Gdy to usłyszałam, zaczęłam jej szykować słoiczki, nazwane przez nas wspólnie „starterami świątecznymi": a to ze śledziem, a to z ćwikłą, a dla jej męża miałam zawsze przygotowaną jakąś sałatkę. Marysia odwdzięczała mi się gotowymi smakołykami. Przynosiła czekoladki czy bombonierkę ze sklepu i oznajmiała:

– Sama piekłam...

Zawsze się z tego śmiałyśmy.

Zależało mi na tym, żeby ona miała prawdziwe święta, których po prostu nie potrafiła przygotować. Nie każdy przecież musi umieć gotować, nie ma takiego przymusu ani wymogu. Natomiast to był taki nasz akcent bliskości.

*** 

Pod pewnymi względami Marysia była osobą kompletnie „księżycową". Jeśli chodzi o życiowe

sprawy typu opłaty w banku, zakupy, cała logisty-
ka prowadzenia gospodarstwa domowego. Ona żyła
na innej planecie. Nie przywiązywała wagi do spraw
materialnych, nie oglądała się specjalnie na apanaże
i honoraria.

Kiedyś umówiłyśmy się z Marysią na kawkę w kawiarni Wedla na Szpitalnej. Ja przyjechałam
samochodem, Marysia całe życie poruszała się środ-
kami komunikacji miejskiej lub taksówkami. Gdy już
porozmawiałyśmy, wyszłyśmy przed lokal.

– Wiesz co, muszę tylko jeszcze drobną sprawę
załatwić – powiedziała Marysia, wyciągnęła telefon
komórkowy, który – o dziwo! – miała, choć SMS-ów
nigdy nie nauczyła się wysyłać. Wystukała numer i zaczęła niemal krzyczeć na całą ulicę. Stałyśmy na rogu
dużego placu i ruchliwej arterii, a ona do słuchawki
krzyczała, podając swoje imię, nazwisko, numer kon-
ta... Wtedy zorientowałam się, że dzwoni do banku. Po
czym podała przez telefon swoje hasło i powiedziała,
że za chwilę przyjdzie, bo musi wypłacić pięć tysięcy złotych. Dziesięć czy dwanaście lat temu to była
zawrotna suma. W każdym razie na tyle duża, że nie
powinno się załatwiać takich rzeczy na środku ludnej
ulicy, przez telefon.

– Marysiu, na litość boską! – Zaniepokoiłam
się. – Ja cię zabiorę do tego banku. Odprowadzę, będę
ci asystować.

– Ale ja nie potrzebuję! – Zaczęła się bronić.
– To jest tu, naprzeciwko... – I machnęła ręką w stronę
budynku po drugiej stronie ulicy.

Ona była oderwana od zasad, nie wiem, jak to dobrze ująć... nie tyle może nawet zdrowego rozsądku, co prostej logistyki. Nie miała pojęcia, że wystarczy przejść przez ulicę i w banku, w bezpiecznych warunkach, załatwić taką transakcję, jaką się chce.

***

Co do jej małżeństwa z Wojtkiem – mówiła zawsze, że są bardzo dobraną parą. I to jest właściwie jedyne zdanie na ten temat, które od niej usłyszałam w ciągu wielu lat naszej znajomości. Marysia miała taki zwyczaj, że pisała w ciągu dnia, najchętniej od bladego świtu. Karolak wtedy spał. I odwrotnie – gdy on siadał do pracy, Marysi się już oczy zamykały. Byli małżeństwem „w wiecznej mijance" – jak ona mawiała, oczywiście z właściwą sobie autoironią. Nie wiem, ile w tym było prawdy. Wiem natomiast, że z każdego wyjazdu zagranicznego Karolak przywoził jej szpilki. Miał takiego feblika – uwielbiał kobiety w szpilkach, a Marysia z upodobaniem je nosiła. Nigdy jej nie pamiętam na płaskim obcasie. Jeśli nie koturn, to bardzo wysoka szpilka. I ona sobie świetnie dawała z tym radę, nawet gdy chwytały mrozy, jak było ślisko, chlapa – ona zawsze chodziła w szpilkach.

***

Miałam okazję bywać w domu u jej mamy. Tak się złożyło, że byłyśmy sąsiadkami. Mieszkam na

Powiślu, w sąsiedniej kamienicy. Marysia i jej mama były do siebie bardzo podobne.

Marysia rzadko mówiła o swojej rodzinie, była pod tym względem bardzo powściągliwa. Prawie nie wspominała swojego pierwszego męża, po którym zostało jej nazwisko. Nie utrzymywała też żadnego kontaktu ze swoją siostrą, która mieszka w Australii. Przez długie lata cały ciężar opieki nad matką, starszą już i mocno niedołężną panią, spoczywał na Marysi. I ona wywiązywała się ze swoich obowiązków wzorowo, bo uważała, że tak należy. Nigdy nie skarżyła się ani nie opowiadała historii rodzinnych. Wbrew pozornej gadatliwości, którą można by nazwać swego rodzaju aktorstwem, na temat swojego życia prywatnego nie mówiła dużo. Oczywiście poza jej, nazwijmy to – coming outami, kiedy przyznała się do aborcji czy wpisała się w jakiś nurt polityczny.

*** 

Marysia, jaką znałam, polityką się właściwie nie interesowała. Przyjęłyśmy zresztą zasadę, że skoro występujemy w audycji, która jest zupełnie apolityczna – a *Cztery pory roku* i *Lato z Radiem* uciekały od takich tematów – to polityków nie tykamy. Nawet jeżeli zdarzały im się różne potknięcia, śmiesznostki, głupoty, dali się na czymś przyłapać, to miałyśmy zasadę, że śmiejemy się tylko z celebrytów, czyli z aktorów, piosenkarzy, muzyków, dziennikarzy, natomiast polityków omijamy szerokim łukiem. Poruszałyśmy się wyłącznie po obrzeżu świata artystycznego.

Zresztą w tamtym czasie Marysia jeszcze nie występowała ani w *Szkle kontaktowym*, ani w *Drugim śniadaniu mistrzów*. Później doklejono jej łatkę „TVN--owską", która moim zdaniem kompletnie nie oddawała jej światopoglądu. Ona nie zaprzeczała, ale myślę, że to była jej przewrotność. Owszem, wypowiadała się w telewizji o polityce i politykach, ale tak jak się komentuje życie celebrytów. Bardziej skupiała się na otoczce obyczajowej. Nie wchodziła w politykę głęboko. To, że wymyśliła Januszowi Palikotowi nazwę „Twój Ruch", to był czysty przypadek. Uważam, że nazwa jest znakomita, a to był jej pomysł. Marysia traktowała politykę taką samą miarką, jaką wcześniej w naszym programie mierzyła świat celebrytów. To była jedynie pożywka dla jej pióra.

\*\*\*

Ale to już były inne czasy. My rozstałyśmy się ze słuchaczami wcześniej, w 2007 roku. Przyszła wówczas do radia nowa władza i jednym ruchem gumki myszki, z dnia na dzień, starła to, co było. Ponieważ mi podziękowano za pracę, naturalną koleją rzeczy Marysia też, mówiąc kolokwialnie, spadła z grafiku. I to nie było tak, że ktoś powiedział, że formuła się wyczerpała albo że to się stało nudne, tylko przyszła „miotła", jak to bywa w telewizji i radiu. Ponieważ ja zostałam „zamieciona", to i Marysia, na zasadzie rykoszetu, straciła pracę. Tak to się skończyło.

Jeszcze długo ludzie pisali do mnie, pytając, dlaczego nasz program nie wraca. Nie było na to dobrej odpowiedzi. Może nie było woli ani pary na to, żeby to kontynuować? Nikt też – mówiąc szczerze – nie zaproponował, żeby *Bieg przez plotki* wrócił na antenę.

Wtedy bardzo żałowałam, że nasza audycja się skończyła. Dziś myślę, że może i dobrze się stało. Lepiej słuchacza zostawić z jakimś niedosytem niż z przesytem. I lepiej, żeby legenda sobie żyła, aniżeli miałaby zjadać własny ogon. Natomiast na pewno Marysię wspominam i będę wspominać jako jeden z najjaśniejszych punktów mojej mapy radiowej, bo była to osoba fenomenalna, cudowna, ciepła, o niezwykłym poczuciu humoru. I czasami bezbronna jak dziecko. To, że później wygłaszała jakieś tromtadrackie komentarze polityczne... Cóż, miała do tego prawo, ale robiła to naprawdę z naiwnością i niewinnością dziecka. Ona nie była zanurzona w politykę, tylko w słowo. Lubiła występy, ale nie dla taniej sławy czy poklasku. Lubiła tę grę, zabawę z widzem czy ze słuchaczem.

\*\*\*

Nigdy nie mówiła o chorobach, żadnych. Nawet jak już była w stanie terminalnym, jak się później okazało, to właściwie o jej chorobie wiedział, jak podejrzewam, tylko jej mąż oraz Artur Andrus, nikt więcej. Zresztą ona wielokrotnie mi mówiła, że gdyby zmarła, to nikt się o tym nie dowie. I chciała, żeby nikt nie przyszedł na jej pogrzeb.

Uszanowałam jej życzenie. Zamiast pójść na Powązki, włączyłam płytę, na której mam nagrane parę odcinków naszych *Biegów przez plotki*. Słuchałam w milczeniu, paląc cienkiego papierosa. To było moje pożegnanie.

# Wszystko jej się wybaczało, bo była absolutnie urocza

# MARCIN MELLER

**W** *Drugim śniadaniu mistrzów* miałem wieczny problem z kobietami, które można byłoby zaprosić do studia. Bo w przeciwieństwie do facetów, którzy chętnie wypowiedzą się na każdy temat, kobiety wolą mówić raczej o tym, na czym się znają. A ten program z zasady jest taki, że gada się o wszystkim po trochu, a nie tylko o swojej specjalizacji. Marysię Czubaszek podpowiedziała mi Magda Zasadni, jedna z dokumentalistek *Dzień Dobry TVN*. Pojawiła się w porannym programie i w kilka minut udowodniła, że jest zabawna i inteligentna. Z dzisiejszej perspektywy nie ma w tym niczego dziwnego, ale wtedy Czubaszek wydawała się „pieśnią przeszłości". Kojarzyła się z audycjami radiowymi z czasów naszego dzieciństwa. Nikt nie spodziewał się, że tak dobrze potrafi komentować naszą rzeczywistość. Mimo wszystko postanowiłem zaryzykować i zaprosić ją do *Drugiego śniadania mistrzów*.

Zaproszenie przyjęła. Widzieliśmy się wtedy pierwszy raz w życiu i zrobiła na mnie bardzo dobre wrażenie. Podczas nagrania była w rewelacyjnej formie. Błyskotliwa i zabawna. „Jechała" równiutko po wszystkich. Na każdy temat potrafiła się wypowiedzieć, spuentować coś złośliwą szpilą. Program bardzo się spodobał, a ja mogę chyba sobie przypisać zasługę ponownego „odkrycia" Czubaszek dla mediów. Daliśmy jej drugą młodość. Po debiucie w *Drugim śniadaniu mistrzów* zaproszono ją też do TVP, gdzie zaczęła robić przeglądy prasy w porannym paśmie, a potem trafiła do stałej ekipy komentatorów w *Szkle kontaktowym*. Doszło po jakimś czasie do tego, że moi szefowie z TVN24 zaczęli narzekać, że Czubaszek jest już wszędzie. Nie chciałem jednak z niej rezygnować, bo bardzo spodobało mi się jej poczucie humoru i pewna nieprzewidywalność.

***

Czubaszek nie była humorzasta. Mam gości, którzy nie z każdym usiądą, mają wyraźne sympatie i antypatie. Ona nie miała żadnych animozji towarzyskich. Jak jej coś nie pasowało, to po prostu milkła. Wiem, że nie przepadała za dyskusjami z prawicowymi radykałami. To trochę paradoks, bo sama miała opinię radykałki politycznej i światopoglądowej, choć w sytuacji bezpośredniego konfliktu nie wiedziała, jak się zachować. Nie chciała nikomu sprawiać przykrości. Nie umiała się kłócić. O tyle ją rozumiem, że też jestem bezradny wobec nagiej, chamskiej siły. Nie lubiła konfrontacji. Wiem, że mocno przeżyła, gdy kiedyś do programu zaprosiłem Pawła Kukiza. Nie miałem jeszcze wtedy świadomości, jak on mocno „odpłynął" i że w głowie hulają mu demony. Ona to wiedziała,

najwyraźniej była mądrzejsza ode mnie. Na szczęście Kukiz ją jakoś wtedy rozbroił. Chyba też traktował ją jak idolkę z czasów swojej młodości. Ale ona, po programie, poprosiła mnie, żebym więcej jej w takiej sytuacji nie stawiał.

Za to świetnie dogadywała się z Kazikiem Sową. On miał do niej ewidentnie słabość, a ona na początku kompletnie nie wiedziała, jak go „ugryźć", a nawet jak się do niego zwracać. Ksiądz był dla niej kimś z innej planety. Była jak duże dziecko, które nie wie, jak mówić do rodziców: czy na „pan", czy na „ty". W końcu starała się używać jakiejś formy bezosobowej. Raz jej się wyrwało „panie księdzu" i wszyscy mieliśmy z tego niezły ubaw.

Mam wrażenie, że w moim towarzystwie zawsze czuła się trochę winna i uważała, że powinna się usprawiedliwiać ze swoich tekstów à propos dzieci. Wiedziała, że ja mam hopla na punkcie swoich dzieciaków. Przeczytała pewno jeden czy drugi mój felieton i mówiła:

– Ale, panie Marcinie... – Zawsze byliśmy per „pan", „pani", nigdy nie przeszliśmy na „ty", ja nie śmiałem, a ona nie proponowała. – Jak tam pana dzieciaczki? Bo wie pan, panie Marcinie, ja mówię źle o dzieciach, ale to nie chodzi o pana dzieci.

Zawsze było to samo. I ta powtarzalność akurat mnie bawiła. Bo jak w dobrym sitcomie, najlepsze dowcipy to te, które pojawiają się po raz czterdziesty siódmy.

***

*Drugie śniadanie mistrzów* w pierwszym okresie było nagrywane w warszawskich kawiarniach: „Szpilce", „Szparce", w kinie „Kultura" albo kawiarence *Dzień Dobry TVN* przy Marszałkowskiej. Zdarzało się, że paliliśmy papierosy na antenie, dopóki jacyś profesorowie nie zainterweniowali w TVN, że to jednak skandal. Maria Czubaszek oczywiście też paliła na wizji i bardzo jej to odpowiadało. Kiedy przenieśliśmy się na Wiertniczą, do budynku TVN, nie mogliśmy już palić w studiu, a palarnia była daleko od nas – na parterze. To dla Marii było trudne do zaakceptowania, ale zorientowała się, że niektórzy pracownicy na „nielegalu" chodzą na klatkę schodową i tam jarają fajki pod wielkim napisem „zakaz palenia". Niesamowicie jej się to spodobało. Cieszyła się jak mała dziewczynka. Często towarzyszył jej tam Andrzej Mleczko, który ją uwielbiał.

Gdy wychodziła sama, zawsze się bałem, że nie trafi do nas z powrotem, bo ona była pod tym względem „kosmitką". Potrafiła się zgubić dosłownie wszędzie. Raz czy drugi odbyło się „polowanie na Czubaszek". Pół redakcji jej szukało. Denerwowaliśmy się, gdzie ona jest, bo z tego korytarza można było wyjść innymi drzwiami i w tym wielkim budynku nie było łatwo trafić z powrotem do naszego studia. A Czubaszek wstydziła się przyznać, że nie zna drogi, i nie chciała nikogo prosić o pomoc. Kilka minut przed wejściem na żywo na antenę takie rzeczy mogą nieźle podnieść prowadzącemu adrenalinę.

***

Jednym z najlepszych pomysłów, w czasie gdy pełniłem funkcję redaktora naczelnego „Playboya", było zrobienie wywiadu z Marią Czubaszek. Pani prezes naszego wydawnictwa, Beata Milewska, była, nazwijmy to, sceptyczna. Doskonale ją rozumiałem, bo wizerunkowo to jakby dwa bieguny. Ale przekonywałem ją, że na tym właśnie polega robienie pisma z klasą, że można taki numer zrobić, kompletnie od czapy! Okazało się, że miałem rację i wszyscy, łącznie z panią prezes, mieli potem z tego materiału niezły ubaw. Sama Czubaszek była zachwycona nie tylko wywiadem, ale i sesją zdjęciową, która była naprawdę szalona.

Przy całej swej wesołości, Maria Czubaszek miała jednak w głowie i w duszy sporo mroku. Przez te lata, gdy razem pracowaliśmy, obserwowałem ją w różnych sytuacjach. Były dni lepsze i gorsze. Nie mówiąc już o tym, że kilka razy miałem silne podejrzenie, że przyszła na nagranie lekko „dziabnięta", co akurat w jej przypadku nie przynosiło złych skutków. Program udał nam się wtedy wyśmienicie. Z czasem jednak te „gorsze" dni zdarzały się coraz częściej. Riposty i komentarze Czubaszek stawały się przewidywalne. Opowiadała po kilka razy te same anegdoty, powtarzała się. Wciąż jeszcze zdarzały jej się bardzo dobre chwile, ale nie miałem już pewności, w jakiej formie ją zastanę. Dlatego nasze kontakty zawodowe zaczęły się rozluźniać.

Pamiętam, jak nasza wspólna agentka od spotkań literackich, Gabriela Niedzielska, poprosiła mnie, żebym panią Marię podrzucił samochodem do Łodzi. Choć to blisko, jechaliśmy z Warszawy półtorej godziny, bo dwa razy musieliśmy się zatrzymać na papierosa – nie chciała palić w samochodzie. Za to mówiła na okrągło, miałem więc jej prywatny, półtoragodzinny stand-up show.

Czarek Łazarek miał kiedyś prowadzić z nią spotkanie w kurorcie nad morzem i nie wiedział, czego się spodziewać. Powiedziałem mu:

– Stary, będzie taka zabawa, że się normalnie posikasz.

I faktycznie, potem mi powiedział, że było rewelacyjnie. Bo Czubaszek miała zawsze całe stado hardcorowych fanów, którzy ją absolutnie uwielbiali. Zdarzało się, że jechałem gdzieś na spotkanie autorskie do biblioteki, widziałem tłum, a bibliotekarka machała lekceważąco ręką i mówiła:

– Tak... dużo ludzi przyszło, ale na Czubaszek było dużo więcej...

**Marysia była taka sama prywatnie, jak publicznie. I to jest chyba najfajniejsze, co można powiedzieć o człowieku**

# MICHAŁ OGÓREK

Nie cierpiała swojego imienia, które w Polsce niesie ze sobą niezły balast, i lubiła, żeby nazywać ją Marysią. Polemizowała także ze swoim nazwiskiem, jakie pozostało jej po nieudanym pierwszym małżeństwie, mawiając „każdy ma swojego Czubaszka".

W nazywaniu siedemdziesięcioześcioletniej satyryczki Marysią w ogóle nie było fałszu. Ona zawsze była jak dziecko, ze swym niefrasobliwym podejściem do życia, brakiem potrzeb materialnych, absurdalnym i życzliwym humorem. Nawet figurę miała jak dziecko i w jakimś programie telewizyjnym kupiła sobie płaszczyk z pokazu mody dla nastolatek.

– Ta pani wcale nie jest taka stara, tylko tak wygląda – przytaczała słowa jakiejś matki do dziecka, żeby nie musiało jej robić miejsca w tramwaju. Chociaż Marysia Czubaszek w tramwaju!? Znana była z tego, że jak przyjeżdżała pożyczać od kolegów pieniądze, których jej zawsze brakowało, to nie inaczej jak taksówką.

\*\*\*

Oczywiście znałem ją z radia, jak wszyscy, ale była to znajomość bardzo jednostronna. Potem nastąpił

taki moment, który pamiętam jak przez mgłę, gdy Marysia, już wybitna autorka opromieniona sławą, przyjechała jako gość specjalny na dziennikarski obóz studencki. Połowa lat siedemdziesiątych, głęboki socjalizm, a ona robiła wrażenie, jakby zupełnie nie rozumiała tego, gdzie się znalazła. To było cudowne. Obóz, mam dzisiaj odwagę to powiedzieć, zorganizował Socjalistyczny Związek Studentów Polskich, bo wtedy przecież innych tego rodzaju organizacji nie było. W przerwach pomiędzy pływaniem i opalaniem się pisaliśmy z kolegami teksty do gazetki studenckiej, a to wszystko działo się oczywiście pod szyldem socjalizmu. To nie miało znaczenia, jeżeli chodziło o program naszych zajęć, bo normalnie wydawaliśmy gazety, była radiostacja. Organizowano nam też spotkania z ciekawymi ludźmi mediów. I tak trafiła do nas Czubaszek. Na spotkaniach zazwyczaj każdy wiedział, co należy mówić. Miał przecież na widowni „aktyw" młodzieżowy. Cały ten socjalistyczny związek nad nami wisiał. Z tego, co pamiętam, raczej nie było tam miejsca dla opozycjonistów.

A ona zachowywała się, jakby nie wiedziała, dokąd przyjechała, i opowiadała normalnie, jakby znalazła się na kawie z przyjaciółmi. Kompletnie ignorowała ówczesne warunki polityczne.

Opowiedziała nam anegdotę o cenzurze, co było o tyle zaskakujące, że wtedy o tych rzeczach się nie mówiło publicznie. W jednym z programów ITR kabaret Elita z Wrocławia zrobił taki dowcip: po każdym występie mówili, że jeżeli chce się przysłać do nich list, należy włożyć go do koperty, wysłać do kogokolwiek we

Wrocławiu, a przesyłka na pewno zostanie dostarczona. To była aluzja do tego, co w tamtym czasie robiła Wolna Europa, która mówiła, żeby wysyłać listy gdziekolwiek na Zachód, a wtedy ktoś tam dostarczy te informacje do rozgłośni. Ten żart był dosyć czytelny. Wszyscy wiedzieli, że to o Wolnej Europie, ale afera zrobiła się dopiero po jakimś czasie, gdy anegdotę usłyszał któryś z partyjnych bonzów i okropnie się zdenerwował. Kierownictwo ITR wezwano w trybie pilnym na dywanik do szefów radia, gdzie dowiedziało się, że „to jest oburzające", i „o co tutaj w ogóle chodzi!", „takie polityczne dowcipy nie mają prawa pojawiać się w radiu!". Chociaż, jak się nad tym zastanowić, w zasadzie to był żart z Wolnej Europy, więc powinno im się to właściwie podobać... Marysia nam powiedziała, że ona znalazła się jakoś na tym zebraniu, a głównym oskarżonym był szef ITR-u, Jacek Janczarski, bo to on dopuścił na antenę kabaret Elita. Janczarski wysłuchał zarzutów, a potem zaczął się tłumaczyć, że on w ogóle nie słucha Wolnej Europy i po prostu nie zrozumiał tego żartu. Dyrektor radia aż oniemiał z wrażenia, a potem zaczął klarować Janczarskiemu, że jego obowiązkiem jest słuchać Wolnej Europy, bo przecież musi być zorientowany w tym, co knują wrogowie ojczyzny. To było niesamowicie zabawne, zważywszy na to, jakimi karami w tamtych czasach zagrożone było słuchanie tej „antypolskiej" – jak twierdziła PRL-owska propaganda – rozgłośni.

Po spotkaniu podszedłem do Marysi na chwilę jakiejś bardziej bezpośredniej rozmowy, ale z pewnością ona tego później nie pamiętała. Wiele lat potem poznaliśmy się już w okolicznościach zawodowych, zapewne gdzieś w telewizji.

*** 

Niewątpliwie Marysia była osobą, którą się niesłychanie lubiło. Wzbudzała sympatię, co w środowisku satyryków nie jest najbardziej powszechną cechą. Pewno dlatego, że była całkowicie pozbawiona zawiści. W każdym zawodzie, także w naszym, jak coś fajnego przeczytam u kolegi, to najpierw mu zazdroszczę, a jak to nie jest dobre – odczuwam swego rodzaju ulgę. Ona była kompletnie inna. Jak coś jej się spodobało, to w pierwszym odruchu potrafiła zadzwonić i pogratulować. Kiedyś napisałem tekst, który się zaczynał uwagą, że wiemy, że to Fenicjanie wymyślili pieniądze, ale już nie wiadomo, kto wymyślił brak pieniędzy. I Marysia zadzwoniła do mnie. Powiedziała, że nieczęsto ryczy ze śmiechu, jak coś czyta, a właśnie przytrafiło jej się to, kiedy czytała mój tekst. Wielokrotnie potem mnie cytowała, co jest wśród satyryków jeszcze rzadsze. Ale do tego jest potrzebny właśnie brak zawiści.

Potem się naprawdę poznaliśmy dzięki wspólnym występom w cotygodniowym satyrycznym programie telewizji, która się nazywała RTL7. To był jakiś niemiecki format. Do dzisiaj w tamtejszej telewizji widzę, że są programy, w których kilku satyryków komentuje wydarzenia tygodnia. Było to dla nas dosyć absorbujące – w końcu należało to robić na bieżąco. Ale dzięki temu się zaprzyjaźniliśmy. Pamiętam, że w stałym gronie komentatorów był m.in. Krzysztof Skiba, Marysia, Marcin Wolski, Stefan Friedmann i Dorota Stalińska. Tydzień w tydzień spotykaliśmy się na dłuższe nagrania. Wtedy zobaczyłem – i to było raczej zaskakujące – że Marysia zawsze świetnie orientuje się w tym, co się w kraju dzieje. Mimo że nie robiła wrażenia osoby, którą jakoś pasjonowała polityka, bo przecież specjalizowała się w humorze obyczajowym, to jednak polityką się interesowała ogromnie. Ale jednocześnie to było zawsze takie trochę inne spojrzenie na sprawy społeczne i politykę.

Zapamiętałem jej komentarz dotyczący głośnej sprawy jednego z najbogatszych Polaków, który, jak się okazało, nic nie ma, żadnego domu, samochodu, zupełnie nic. I Marysia wtedy powiedziała:

– Przecież to jest jasne, że jak ktoś jest taki bogaty, to musi mieszkać na dworze.

Jej komentarze były takie nieoczywiste, nie wprost. To było genialne.

***

Często wykorzystywano nić sympatii, która łączyła mnie z Marysią, żeby nas wciągać do jakichś niszowych, szemranych programów albo przedsięwzięć, w których samodzielnie na pewno nie wzięlibyśmy udziału. Scenariusz był zawsze taki sam. „Chcielibyśmy zaprosić pana do udziału w programie X. Pani Maria Czubaszek już się zgodziła". Jej mówiono, że zgodził się Michał Ogórek. I gdy siadaliśmy w studiu, było już za późno na składanie wyjaśnień.

Najbardziej daliśmy się wrobić kiedyś w *Szansie na sukces*. Ten odcinek programu, w którym trzeba zaśpiewać do podkładu muzycznego jakieś wylosowane piosenki, chyba każdy z nas (a oprócz mnie i Marysi ściągnięto jeszcze Edwarda Lutczyna) zapamiętał najmocniej, bo potem mieliśmy przeświadczenie, że strasznie się zbłaźniliśmy. Faktem jest, że naiwnie myśleliśmy, że to będzie od początku do końca tylko jakiś kompletny wygłup, ale w pewnym momencie okazało się, że trzeba potraktować to na poważnie, co zaczęło być groźne. I wcale nie było śmieszne. Choć z drugiej strony, w takich programach samoistnie rodzi się jakiś element rywalizacji, co jest przecież strasznie komiczne. Tak jak w tych wszystkich teleturniejach, które są na niby, ale wygrywa się prawdziwe pieniądze na jakiś szlachetny cel i w zasadzie nie ma znaczenia, kto będzie trochę lepszy albo trochę gorszy, bo przecież wszystko to jest jedna zabawa. Nawet tam w pewnym momencie uczestnicy nie chcą być gorsi. I w tej nieszczęsnej *Szansie na sukces* chyba też coś takiego nastąpiło. Bo Lutczyn zaczął śpiewać bardzo oddanie, a my z Marysią nie do końca czuliśmy tę konwencję. Przy czym ona, która była najbliżej piosenki z nas wszystkich, powinna nas „wykosić". Wydawało się, że jeśli ktokolwiek ma szansę na „sukces", to właśnie ona. Ale to nie był ten przypadek...

Przed każdym programem, w którym występowaliśmy razem, Marysia wciągała mnie do damskiej toalety, oczywiście po to, żeby „puścić dymka", a nigdzie indziej nie było możliwości palenia papierosów po kryjomu. Właściwie wszyscy w tych studiach wiedzieli, że tak spędzamy czas. Najlepsze, że ja akurat nie paliłem, co kompletnie nie przeszkadzało mi zamykać się z Marysią w damskiej toalecie po to, żeby z nią pogadać. Mogłem jej słuchać godzinami.

***

Marysia nikogo ani niczego nie udawała. A przecież bardzo często jest tak, że jak ktoś wychodzi na scenę bądź widzi zapalające się światełko w radiu, zaczyna być trochę inny. Ja na to strasznie źle reaguję. Gdy ktoś siedzi koło mnie i rozmawia normalnie, a potem, przed mikrofonem czy kamerą, nagle zaczyna mówić zupełnie inaczej, to mnie zawsze wybija z rytmu. A ona w ogóle się nie zmieniała. I nawet czasami odbywało się to wbrew oczekiwaniom różnych osób. Kiedyś, kompletnie nie wiem dlaczego, Marysia prowadziła jakiś program w Trójce w zastępstwie Artura Andrusa. To była bardzo nietypowa sytuacja. Zaprosiła mnie wtedy do studia i tak dalece nie prowadziła tego programu, że właściwie nikt go nie prowadził. Siedzieliśmy i gadaliśmy, jak zwykle. Ale jednak w reżyserce to się nie bardzo podobało. Żądali od niej jakiegoś rodzaju dyscypliny. Nie uzyskali niczego, nawet reżyser przyszedł do nas z awanturą, ale ona była niesterowalna, nie dawała się zupełnie do niczego zmusić. Może właśnie dzięki temu była taka autentyczna. Tak samo trudno było jej przerwać prywatnie, jak i na scenie czy w radiowym albo telewizyjnym studiu.

Pamiętam taką sytuację, to było dość niedawno, może na rok przed jej śmiercią. Mieliśmy gdzieś w Polsce występ. Pojechał Krzysztof Kowalewski, Marysia i ja. Nie wiem, dlaczego akurat wybrano taki dosyć oryginalny zestaw. Przyszło mnóstwo ludzi, bo Marysia była bardzo znana, a w tym czasie to już szczególnie, to był szczyt jej popularności po wydaniu kilku książek. Spotkanie potoczyło się tak jak zwykle, czyli my z Marysią rozmawialiśmy bez przerwy w drodze, a jak weszliśmy na scenę, to po prostu dalej ze sobą rozmawialiśmy, jakbyśmy byli sami. Choć słowo „rozmawialiśmy" nie w pełni oddaje to, co się tam wtedy działo. Mówiła wyłącznie Marysia, a ja słuchałem. Był oczywiście jakiś prowadzący, którego Marysia w ogóle ignorowała i nie słuchała żadnych pytań. Rozmawiała tylko ze mną.

Trochę się wtedy wystraszyłem, bo tak po półgodzinie zorientowałem się, że jak się nie wetnę, to się w ogóle nie odezwę i będę tam siedział do końca jak ten idiota. Dosyć brutalnie przerwałem jej i jakoś udało mi się powiedzieć parę zdań. Ale wtedy zupełnie zapomnieliśmy, że jest jeszcze z nami Krzysztof Kowalewski, który nie odezwał się do końca ani razu. Mam nadzieję, że sobie drzemał i nie czuł się w żaden sposób marginalizowany. Jednak wolałem go potem o to nie pytać.

*\*\**

Marysia nie znosiła podróżować. Nigdy nie jeździła dla przyjemności. Wyjeżdżała wyłącznie w sprawach zawodowych. W ostatnich latach najchętniej spędzała czas w domu, u boku męża, Wojtka Karolaka. Tworzyli jedyną w swoim rodzaju parę. Ona żyła w dzień, on w nocy i parówkę jedli razem zawsze wieczorem: Marysia na kolację, a Wojtek na śniadanie. Marysia poszła za męża nawet na operację plastyczną. Kiedy któraś telewizja zaproponowała im wspólny udział w show o poprawianiu sobie urody, Wojtek postanowił skorzystać i sobie coś tam usunąć. Namówił też do tego Marysię. Po czym ze względów medycznych został wyeliminowany, a ona poszła na stół sama.

Ostatni raz spotkałem Marysię na premierze filmu „Ekscentrycy" Janusza Majewskiego, do którego Wojtek Karolak napisał muzykę i sam też zresztą wystąpił. Bardzo się ucieszyłem, że ją tam zobaczyłem, choć nigdy w życiu bym nie pomyślał, że to będzie ostatni raz. Była w świetnej formie. Jakoś tak przy niej w ogóle nie myślało się o wieku. Chociaż sporo starsza ode mnie i znałem ją przecież jako wybitną osobę, zanim cokolwiek zacząłem sam pisać, to zawsze miałem wrażenie, że jest małą dziewczynką. Filigranowa figura naturalnie podkreślała jeszcze jej dziewczęcość. Ale chodziło też o sposób bycia, brak jakiegokolwiek snobizmu.

Gdy opowiadała o sobie, wybierała zawsze zabawne historie. Nawet gdy mówiła o swoich życiowych porażkach, na przykład o pierwszym małżeństwie. Zawsze mi się wydawało, że to chyba nie do końca jest prawda – bo to było tak śmieszne, że wyglądało jak wymyślone. Ale jak potem się dowiadywałem różnych szczegółów, to wychodziło, że specjalnie nie

konfabulowała. Opowiadając o swoich prywatnych prze-
życiach, nie dramatyzowała, tylko zamieniała w żart
i stąd jej życie robiło czasem wrażenie takiego nie do
końca na serio. Choć bywały momenty mocno drama-
tyczne. Przecież to nie był ciąg sukcesów. Zdarzały się
jej gorsze okresy i o tym uczciwie opowiadała. Bywały
nawet takie momenty, że nie miała żadnych pieniędzy.
Do tego stopnia, że jak szła z psem na spacer, to zbierała
niedopałki na ulicy. Mówiła o tym lekko, choć nie sądzę,
żeby to nie sprawiało jej bólu.

*

Po jej śmierci, ale chyba nawet jeszcze przed
pogrzebem, w „Gościu Niedzielnym" ukazał się okropny
felieton, którego autor z fałszywą troską pochylał się nad
problemem życia wiecznego Marysi. Chodziło oczywiście o tę jej nieszczęsną aborcję. Ton tego tekstu był taki,
że po śmierci już w ogóle nie ma znaczenia, że ona pisała jakieś teksty, była satyrykiem, bo dla Boga liczy się
tylko to, co zrobiła ze swoim nienarodzonym dzieckiem.
Był tam taki rodzaj współczucia i litości pomieszanej
z radosną wizją diabłów, które strącają grzeszną duszę
w piekielną czeluść. Ciekawe, czy autor w ogóle pomyślał, co czują bliscy Marysi, którzy czytają to w kilka
dni po jej śmierci? W gronie paru osób zastanawialiśmy
się, czy na takie okrucieństwo jest jakiś paragraf i czy
nie powinniśmy podać autora tego paszkwilu do sądu.
Ale oczywiście wszystko rozeszło się potem po kościach,
choć niesmak pozostał.

Fundamentaliści katoliccy nawet po śmierci nie mogli jej darować tej aborcji. To był ich dyżurny temat w ostatnich latach jej życia. Ale im mocniej Marysię krytykowano, tym bardziej kobiety uznawały ją za swą przedstawicielkę i powierniczkę. Podchodziły do niej i zwierzały się z najintymniejszych przeżyć, co jak na wieczory, na których sala płakała raczej ze śmiechu, było dość nietypowe.

Marysia źle czuła się jako sztandar, no bo ze względu na swe rozmiary mogła być raczej chorągiewką. Tyle że właśnie chorągiewką nie była. Jak na osobę tak delikatną i księżycową, miała żelazne przekonania. Podczas gdy niektórzy jej koledzy z radia zdążyli już ze cztery razy zmienić poglądy i po drodze służyć kolejnym władzom, Marysia była przez całe życie taka sama. Nie dopasowywała się do tego, co aktualnie myśli i sądzi większość, aby się większości przypodobać. I tak, paradoksalnie, ostentacyjnie „niewierna" Marysia, okazała się właśnie najbardziej wierna – sobie.

Myślę, że teraz – tak jak w swojej piosence – może powiedzieć: „odeszłam, zaraz wracam". Jestem przekonany, że żal i smutek po niej ustąpi miejsca radości z jej tekstów, które znów odkryjemy, już któryś raz. I że jej rodzaj poczucia humoru i podejścia do świata nam się jeszcze przydadzą, a nawet staną się niezbędne.

# Byłem nadwornym kierowcą

**N**a urodziny, w 1972 roku, dostałem lampowe radio stereo, na którym mogłem słuchać Programu Trzeciego na paśmie UKF. Nigdy tego dnia nie zapomnę. Wtedy pierwszy raz usłyszałem o Marysi Czubaszek.

Namiętnie słuchałem Trójki, a szczególnie ITR. To wtedy zaczęła się moja fascynacja kabaretami. Przeminął ITR, zastąpiła go audycja Marcina Wolskiego *60 minut na godzinę*, a potem *Powtórka z rozrywki* Artura Andrusa. W latach dziewięćdziesiątych Andrus powołał w kawiarni „Harenda" przy Uniwersytecie Warszawskim Scenę Kabaretową Trójki.

W każdy poniedziałek była tam impreza, na której zaproszony kabaret dawał swój występ. Andrus to nagrywał i wybierał sobie materiały, które potem emitował w *Powtórce z rozrywki*. W tamtym czasie dość intensywnie pracowałem, ale poniedziałek był w korporacji zawsze dniem biurowym i mogłem bywać wieczorami w „Harendzie". Wkrótce potem zdecydowałem, że kończę działalność etatową i zacząłem pomagać przy widowiskach kabaretowych jako doradca techniczny. A że zawsze byłem człowiekiem bezczelnym, nie miałem problemu, by do kogoś podejść, z kimś pogadać, to coraz lepiej w tym środowisku funkcjonowałem. Zacząłem jeździć na festiwale i poznawać ludzi, którzy to organizowali i prowadzili. I właśnie w ten sposób, przez Artura Andrusa, zostałem przedstawiony Marysi Czubaszek.

Zaczęło się od dżentelmeńskiej pomocy. Marysia poza Warszawą sprawiała wrażenie osoby kompletnie zagubionej. Martwiła się:

– Ach, jak ja dojdę do hotelu? A gdzie on w ogóle jest?

Byłem kilka razy w odpowiednim miejscu i czasie, żeby Marysię odprowadzić i zrobić jej zakupy (czyli kupić te papierosy, które lubiła). Potem ktoś z organizatorów jakiegoś festiwalu do mnie zadzwonił z prośbą:

– Lechu, przyjeżdżasz do nas samochodem? A nie przywiózłbyś pani Marii Czubaszek?

– Oczywiście, żaden problem, jeśli tylko ona zechce.

– My to załatwimy.

Następnego dnia Marysia do mnie dzwoni:

– Panie Lechu, ja nie wiem... nie śmiem tak pana ciągnąć...

– Ależ, pani Mario, ale ja tam przecież jadę, więc będzie to dla mnie czysta radość.

I tak to się zaczęło. Wymienialiśmy się informacjami, gdzie jest kolejny wyjazd. Są miejsca w Polsce, gdzie odbywają się bardzo interesujące festiwale kabaretowe, ale bywają pierońsko daleko. Jednym z takich festiwali, na który Marię Czubaszek zapraszano rokrocznie, była Bogatynia. Nie ma miejsca w Polsce, które może leżeć dalej od Warszawy. A to jeszcze były czasy przedautostradowe, więc jak się jechało komunikacją publiczną, zajmowało to cały dzień. Z Warszawy do Wrocławia, z Wrocławia do Zgorzelca, PKS-em ze Zgorzelca... A samochodem w pięć, sześć godzin byliśmy u celu. Dlatego w pewnym momencie stałem się nadwornym kierowcą Marii Czubaszek, jej wspólnikiem od podróży.

*** 

Marysia (bruderszaft wypiliśmy, a właściwie wypaliliśmy papieroskiem na festiwalu Przewałka w Wałbrzychu) była osobą bardzo delikatną, doskonale wychowaną. Wszyscy wiedzieli o jej namiętnym stosunku do papierosów, ale kindersztuba nigdy nie pozwoliła jej powiedzieć w samochodzie wprost: „słuchaj, ja bym sobie zapaliła, może byśmy się zatrzymali?".

Zazwyczaj już na rogatkach Warszawy Marysia zaczynała się wiercić w fotelu.

– Lechu, może byśmy się zatrzymali i jakąś kawkę wypili?

A ja wiedziałem już, o co chodzi. Oczywiście kawka była tylko pretekstem, chodziło o to tylko, żeby zapalić.

Na trasie do Lidzbarka Warmińskiego, gdzieś w okolicach Olsztynka, była z kolei wędzarnia, w której można było kupić smaczne ryby. Marysia już kilkadziesiąt kilometrów wcześniej zaczynała rozmowę o rybach. Ona ich nie jadała, ale Wojtek Karolak z pewnością chciałby ich spróbować. No to może się zatrzymamy?

I oczywiście zatrzymywaliśmy się, a Maria pierwszy papieros wypalała, zanim jeszcze doszła do tej wędzarni, kupowaliśmy ryby i po chwili był jeszcze papieros na wyjście. Szliśmy do samochodu, jechaliśmy znowu parę kilometrów i Marysia wzdychała:

– Jak dziś gorąco. Może byśmy się napili jakiegoś soczku?

I znów chodziło jej o przerwę na papierosa.

Potem miała taki krótki etap fascynacji papierosami elektronicznymi, ale one nigdy nie zastąpiły jej normalnej „fajeczki". Obserwowałem ją, gdy wyjmowała tego elektronicznego papierosa, międliła w ręku i już wiedziałem, że trzeba zaproponować postój.

Nigdy nie biorę od kobiet pieniędzy za przysługi, więc Maria nigdy mi nie płaciła za to, że ją wiozłem samochodem, chociaż ona nalegała. Gdy się już z tym pogodziła, zaczęła traktować mnie trochę jak babcia. A to kupowała czekoladkę, a to winko, campari, gin. Tłumaczyłem jej, że przecież i tak jadę na festiwal swoim samochodem. Wożenie jej nie generuje żadnych dodatkowych kosztów, ale ona czuła się zobowiązana.

\*\*\*

Podczas naszych podróży po Polsce rozmawialiśmy często o gnębiących ją problemach życia codziennego. Marysia była na permanentnej wojnie z otaczającą ją techniką. Nowy telefon, sprawy komputerowe stwarzały zawsze problemy. Trochę mi się to wydawało dziwne, bo przecież Wojtek Karolak jest fanem nowych technologii. Ale widocznie może jest fanem od strony użytkowania, a nie spraw hardware'owych. Ja na szczęście trochę się na tym znam, więc z kierowcy awansowałem na osobistego komputerowca Marysi.

– Lechu, coś się zepsuło. Nie działa, no po prostu nie działa...

Przyjeżdżałem i rzeczywiście – komputer nie odpala. Po przyciśnięciu startu zamiast znajomych ikonek Windowsa pojawia się niebieski ekran i koniec. Najprostsza metoda – trzeba wyjąć baterię i włożyć jeszcze raz. Dalej nic, to samo. Zgubiła się gdzieś biblioteka plików. Dobrze, że umiałem sobie z tym poradzić. Przy wyjściu Marysia miała już przygotowane wielkie pudełko Ferrero Rocher.

– Dziękuję. A to dla twojego synka...

Innym razem dzwoni, że ma nowego notebooka i zupełnie nie wie, jak go obsługiwać. Albo nowy telefon z instrukcją obsługi na kilka stron zapisanych maczkiem. Co z tym zrobić? Ktoś jej wysłał maila, a ona go nie dostała i nie ma pojęcia, co to znaczy. „A może trzeba sprawdzić, czy wiadomość nie wpadła do spamu?".

Umawialiśmy się w kawiarni koło dawnego kina „Moskwa". Załatwialiśmy sprawy i potem pomagałem Marysi robić zakupy i nieść je do domu. Dla siebie kupowała tylko papierosy i parówki. Więcej jedzenia brała dla Karolaka, ale zawsze dokupywała jakieś batoniki, cukierki dla ochroniarzy w jej bloku. Nigdy nie dała im odczuć, że są gorsi, a ona jest gwiazdą. I nie było w tym wystudiowanej uprzejmości. Ona po prostu była im wdzięczna, że wykonują swoją pracę, a za najdrobniejszą nawet przysługę odwdzięczała się czekoladkami.

Chyba nie miała świadomości, że jest sławna i ludzie się ekscytują, gdy ją gdzieś spotkają. Kiedyś umówiłem się z nią w Green Caffe na Puławskiej w Warszawie. Kupiłem najnowszą jej książkę i chciałem ją poprosić o dedykację. Przyszedłem wcześniej, przed Marysią, usiadłem przy stoliku i dosiadł się do mnie mój znajomy, stand-uper i utytułowany kabareciarz, który swego czasu wygrał PAKĘ. Gdy mu powiedziałem, z kim się tu umówiłem, to aż zbladł z wrażenia.

– Błagam cię, przedstaw mnie! To moja absolutna idolka!

I nie mógł uwierzyć, że Marysia wiedziała, kim jest i kojarzyła go ze sceny.

***

Jednym z największych problemów Marysi był brak ulubionych papierosów. Co się do jakiejś marki przyzwyczaiła, to ona znikała z rynku.

– Wiesz, miałam takie fajne papierosy... – mówiła przygnębiona. – Pani w kiosku mi je odkładała, a teraz już podobno nie robią tych papierosów.

– Jak to nie robią? To ja poszukam.

Pojechaliśmy na bazarek przy halach Banacha. Tam są takie półlegalne hurtownie. Trzeba wiedzieć, gdzie zapukać. Mówi się „karton poproszę" i sprzedawca wyjmuje z pudła na zapleczu. Ale tak się złożyło, że rzeczywiście nigdzie tych papierosów nie było. Kilka dni później wyjeżdżałem do Włoch i w Rzymie kupiłem Marysi jej ulubione mentolowe „fajeczki". Zdążyłem jej je sprezentować. W lutym 2016 roku wyjechałem do Paryża i znów mi się udało kupić jej za granicą papierosy. Przyjechałem i zadzwoniłem do niej jak zwykle:

– Marysiu, przywiozłem ci papierosy, może byśmy się spotkali?

– Jak tylko wyjdę ze szpitala, bo teraz jestem na badaniach.

– Oczywiście. Nie ma sprawy.

To był ostatni raz, gdy z nią rozmawiałem.

Za każdym razem, jak jestem na Powązkach, biorę paczkę z tego kartonu. Jednego papierosa wypalam, a drugiego zostawiam na grobie Marysi. Powoli te fajeczki wypalimy...

Bardzo lubiła spotkania w bibliotekach i rozmowy z osobami, które tam przychodzą. Mówiła mi:
– Gabrysiu, to są inni ludzie!

# GABRIELA NIEDZIELSKA

**A**gencja Autorska Autograf zajmuje się promocją książek i czytelnictwa, przygotowując spotkania autorskie. Umawiam więc spotkania, starając się, aby podczas każdego wyjazdu było ich zawsze kilka, by autorzy nie spędzali połowy życia w pociągach. A później czuwam nad tym, by wszystko się udało.

Marysia zawsze docierała na czas, choć bywało, że z perturbacjami. Na początku przygotowywałam jej wszystkie szczegóły organizacyjne, aby – wydrukowane – leżały w podróżnej torebce. Po kilku spotkaniach zorientowałam się, że Maria tego nie czyta. Dlatego już później, choć wciąż wysyłałam jej wszystkie ustalenia mailem, to przekazywałam jej bezpośrednio jedynie informację o tym, do jakich miejscowości jedzie i na którą godzinę musi kupić bilet. Reszta była w moich rękach. Bibliotekarze odbierali ją z peronów, a między spotkaniami przewozili z miejsca na miejsce. „Jak paczuszkę" – mawiała Maria.

***

Panią Marię, a raczej jej twórczość, poznałam we wczesnych latach siedemdziesiątych, gdy słuchałam *Ilustrowanego Tygodnika Rozrywkowego* nadawanego przez Program Trzeci Polskiego Radia. Gdy w sierpniu 2008 roku powstała Agencja Autorska Autograf, Maria była jedną z pierwszych osób, do których zwróciłam się z propozycją współpracy. Skontaktował nas Artur Andrus, z którym znam się od wielu lat.

Przed pierwszą rozmową miałam tremę, Maria Czubaszek była przecież moją idolką. Poznałam osobę bardzo skromną, taktowną i delikatną, a także absolutnie nieposiadającą umiejętności rozmowy o pieniądzach. Z jej strony nie było żadnych oczekiwań. Zrozumiałam, że ciąży na mnie podwójny, a nawet potrójny obowiązek – dbania o jej sprawy bytowe i sprawdzania wszystkiego, by nikt nie nadużył jej zaufania.

Kiedyś zorganizowałam jej spotkanie w wielkopolskim Kaźmierzu. Miała dojechać pociągiem do Poznania. W przeddzień jej kaźmierscy wielbiciele zapowiadali swoją obecność na spotkaniu poprzez *Szkło kontaktowe*. Przestraszyła się wtedy:

– Nie, ja do żadnego Kazimierza Dolnego nie jadę, tylko do Poznania!

Po programie wszystko spokojnie wyjaśniłam.

Innym razem przygotowywałam spotkanie w Zebrzydowicach, ważne również z tego względu, że finansowane z projektu unijnego, bez możliwości zmiany terminu. Rankiem Maria dzwoni okropnie zdenerwowana z Dworca Centralnego w Warszawie i mówi, że ten pociąg, który wskazałam, do Zgorzelca, ma przesiadkę. Zaskoczona powiedziałam:

– Mario, ty jedziesz do Zebrzydowic.

Rozłączyła się i pobiegła do kasy po nowy bilet. Po chwili zadzwoniłam i stanowczym głosem powiedziałam, że pociąg odchodzi za dwadzieścia minut, więc nie ma już czasu na kupowanie biletu w kasie. Ma zejść na peron numer trzy, wsiąść do pociągu jadącego w kierunku Katowice–Zebrzydowice i kupić bilet u konduktora, a ja poproszę organizatorów, aby pomyłkowo kupiony bilet do Zgorzelca zaraz po dotarciu do Zebrzydowic zwrócić w kasie PKP. Jakież było zdziwienie Marysi, gdy podany konduktorowi bilet okazał się jednak biletem do Zebrzydowic. Zadzwoniła z pociągu i mówiła ze śmiechem:

– To przez Artura [Andrusa], siedział u nas i ciągle mówił o tym Zgorzelcu.

Numer do agencji był zapisany na pierwszym miejscu w jej telefonie.

Przed rozpoczęciem naszej współpracy Marię spotkało wiele nieprzyjemnych sytuacji. Ktoś ją zapraszał, coś obiecywał, a potem ją oszukał. Wiedziała i mówiła o tym, ale nie umiała o swoje interesy walczyć. Machała ręką i pracowała dalej. Ostatnie lata to czas niezwykle intensywny: praca nad książkami przygotowywanymi przez Artura Andrusa, liczne wywiady, festiwale i dziesiątki spotkań autorskich.

Maria mi ufała, ciesząc się, że zdjęłam z jej barków rozmowy o finansach. A i tak zdarzały się

sytuacje, gdy ktoś po jej spotkaniach odmówił wypłacenia honorarium. Wypłata zazwyczaj znajdowała się na koncie dopiero, gdy po dziesiątym monicie pytałam, czy pani Maria ma się o nią upomnieć z ekranu.

\*\*\*

Maria kochała rozmowy z czytelnikami, a ja zajmowałam się całą machiną organizacyjną. Od przejazdów i hoteli po spotkania z organizatorami. Bibliotekarze to niezwykli ludzie. Serdeczni i gościnni. W bibliotekach nie ma funduszy reprezentacyjnych i mimo niskich uposażeń pracowników na każdego autora czekają zawsze kawa, herbata i ciasto. Maria cieszyła się ogromną sympatią, którą wszyscy jej okazywali – także poprzez dbałość o szczegóły. Zadawano mi tysiące pytań: jaką kawę pani Marysia lubi? Jaką wodę? itd. Uprzedzałam panie bibliotekarki, aby nie piekły ciast, ponieważ Maria chyba nigdy w życiu żadnego nie zjadła.

Mimo trudów podróży wsiadała do pociągu czy samolotu, a później wracała z ciężką torbą pełną wyrazów czytelniczej wdzięczności: maskotkami, albumami miast i gmin, bukietami kwiatów.

Spotkania zawsze rozpoczynały się od przedstawienia przez gospodarzy zaproszonego gościa. Czasami trzeba było prostować, że Maria Czubaszek nie jest poetką, choć była autorką piosenek. Każde spotkanie było inne, ale zawsze mówiła na nim o sobie, swojej twórczości, współpracy z Arturem Andrusem, czasem komentowała bieżące wydarzenia. Odpowiadała też na liczne pytania czytelników. Na stoliku czekała na nią zazwyczaj popielniczka, chociaż nigdy, ani w czasie spotkania, ani podczas podpisywania książek, Maria nie zapaliła papierosa. Na pewno to musiało być dla niej trudne. Mawiała czasami, że „nie ma już kontaktu z rozumem", co oznaczało, że naprawdę musi zrobić przerwę na dymka, lecz do zakończenia spotkania papierosy czekały w torebce.

Po jej telewizyjnej wypowiedzi na temat aborcji odwoływano wiele jej spotkań. Dyrektorzy bibliotek przepraszali, ale musieli zastosować się do rozporządzenia miejscowych władz. W jednej z miejscowości na południu Polski pani Maria do biblioteki weszła w towarzystwie witającej ją pani dyrektor oraz... straży miejskiej. Bo przed biblioteką oczekiwała na nią kilkuosobowa demonstracja z transparentami: „Precz...". Spotkanie rozpoczęła Maria od dowcipnego skomentowania całej sytuacji, a po chwili do sali bibliotecznej weszli uczestnicy pikiety, już ze zwiniętymi transparentami. Świetnie bawili się do końca spotkania.

Wypowiedź na temat dokonanej aborcji spowodowała lawinę komentarzy i stała się tematem dyżurnym na długi czas. Sprawiało to Marii dużo przykrości, ale powiedziała mi, gdy odwiedziłam ją w szpitalu:

– Przecież wiesz, znasz mnie, gdyby mnie ktoś zapytał znów, odpowiedziałabym to samo, prawdę.

Po którymś ze spotkań czekałam na Marię, bo już, już miała wyjść – jechałyśmy na kolejne spotkanie – ale wiadomo, jak wyglądają takie sytuacje: ostatnie słowa, wspólne zdjęcia, uściski dłoni, uprzejmości... Razem ze mną stały dwie piękne, siwowłose panie. Zapytałam je o wrażenia ze spotkania. Powiedziały, że są zachwycone, a teraz czekają, aby jeszcze raz przekonać się, że taka osoba istnieje naprawdę.

\*\*\*

Maria Czubaszek cieszyła się ogromną sympatią czytelników.

Na jednym ze spotkań czytelniczka wyznała, że przyjechała z odległej miejscowości na rowerze, choć na zewnątrz był trzaskający mróz. Inna powiedziała, że pierwszy raz od ponad pół roku wyszła z domu. Przez długi czas była poważnie chora, ale na wieść, że do ich miejscowości zjeżdża taki gość, poprosiła, aby córka przywiozła ją na spotkanie. Maria była wzruszona, ale i zdziwiona. Wciąż nie dowierzała, że ktoś wykonał taki trud dla niej.

Wiosną 2016 roku, gdy pani Maria trafiła do szpitala, miała zaplanowanych kilka spotkań. Bilety na samolot – kupione, czytelnicy – umówieni. Bardzo na nią czekali. Dzwonili, przychodzili do bibliotek, pytając o jej zdrowie. Byli pełni zrozumienia, współczucia, i oczywiście dopytywali, kiedy będzie możliwe spotkanie z nią.

Po śmierci Marii na adres e-mail agencji przychodziły listy od bibliotekarzy z wyrazami smutku, ale też wspomnieniami, jak bardzo jej wizyty zapadły im w pamięć.

Przejazdy na spotkania to była także okazja do rozmów w drodze. Opowiadała mi o przemiłym spotkaniu z profesorem Marianem Zembalą na jednym z lotnisk i deklaracji przez niego złożonej, że w razie konieczności zawsze chętnie służy pomocą. Gdy odwiedzałam Marię w szpitalu, pytała mnie, czy rzeczywiście wypada jej do niego zadzwonić. Zawsze była uderzająco skromna.

\*\*\*

Przyjeżdżałam do niej do warszawskiego szpitala. Rozmawiałyśmy wtedy o wielu sprawach, o jej planach. Mówiła, że spotkanie z profesorem Marianem Zembalą napawa ją otuchą – planowała zadzwonić. Dużo radości dawały jej szpitalne wizyty Artura Andrusa i wielokrotnie mówiła: „Udał nam się ten Arturek, prawda?".

W czasie kolejnej wizyty, która okazała się, niestety, ostatnią, weszłam do sali, długo stałam z boku i obserwowałam. Przy łóżku siedział Wojciech i patrzył na swoją Marysię – Alicję. Swą Zajęczycę – jak ją nazywał. Maria patrzyła na niego. Spojrzenie, układ głowy, całego ciała wyrażały troskę i bezgraniczną miłość.

# Część II
# Dzień dobry, jestem z kobry, czyli jak stracić przyjaciół w pół minuty i inne antyporady

# Jak pić wódkę najbardziej niezdrowo

P o prostu nie należy łączyć jedzenia i picia. Jeśli coś jem, to nie piję nawet pół kieliszka. A gdy piję, to nie zjadam nawet okruszka.

Nauczył mnie tego Janusz Minkiewicz. Miałam dwadzieścia lat, gdy go poznałam, i od tamtego czasu nigdy nie miałam kaca.

Janusz Minkiewicz to była postać! W Warszawie zwany „Minio". Miał swój stolik w SPATiF-ie, gdzie wpadał po południu na obiad. Nie pił wtedy nawet kropli alkoholu. A wieczorem, koło dziewiątej, przychodził się napić. I pił potworne ilości czystej wódki. Kelner przynosił mu na talerzyku skórkę chleba. On od czasu do czasu ten chleb wąchał, i pił dalej. Czasem przez całą noc.

SPATiF był dla niego najważniejszym miejscem w Warszawie. Kiedyś wybraliśmy się razem do Teatru Dramatycznego na „Noc cudów" Konstantego Ildefonsa Gałczyńskiego. Mieliśmy zaproszenia w pierwszym rzędzie. Usiedliśmy. Przygasło światło i Minkiewicz natychmiast zasnął. Obudziły go brawa. Ziewnął i powiedział: „Boże, jak mnie to nudzi! Chodźmy szybko do miasta. Do miasta! Do miasta!". A byliśmy w Teatrze Dramatycznym, w Pałacu Kultury, w samym sercu Warszawy! Ale dla niego „miasto" to był SPATiF. Nic innego się nie liczyło.

Oczywiście był alkoholikiem. Ale wtedy prawie wszyscy pili. Pamiętam, jak się poznaliśmy. Szalenie mi imponował – znany pisarz, osobowość. Zaprosił mnie na kolację, oczywiście do SPATiF-u, i tak się denerwowałam, że nie jadłam nic przez cały dzień. Nie wiedziałam jeszcze wtedy o żelaznej zasadzie Minkiewicza, że jak pije wieczorem, to nic nie je. Więc gdy się spotkaliśmy, on zamówił jedynie skórkę chleba do wąchania. A ja – chcąc nie chcąc – to samo. Nigdy w życiu nie wypiłam tyle wódki, co wtedy. Chyba tylko siłą woli trzymałam się pionowo, boby mi było wstyd, gdybym spadła z krzesła. Potem się zastanawiałam, jak to w ogóle było możliwe, bo on pił straszne ilości alkoholu. A ja wtedy chciałam mu zaimponować, więc piłam równo z nim. Potem odwiózł mnie taksówką do domu. W ogóle tego nie pamiętam, ale podobno pożegnałam się z nim grzecznie, a jak tylko taksówka odjechała, to wczołgałam się do domu na czworakach i w sukience padłam na łóżko. Następnego dnia było wspaniale! Obudziłam się bez kaca, z poczuciem lekkości. A gdy Minkiewicz zadzwonił, żeby sprawdzić, czy żyję, był mocno zdziwiony, że tak dobrze się trzymam. Przeszłam ten egzamin i potem wielokrotnie byłam jego ulubionym kompanem. Uwielbialiśmy razem spędzać sylwestra. Ponieważ żadne z nas nie lubiło tańczyć, więc chodziliśmy przez całą noc od jednej knajpy do drugiej. Startowaliśmy w SPATiF-ie, a potem szliśmy do Dziennikarzy, do Architektów, Filmowców i tak dalej. I piliśmy, nie biorąc do ust ani kęsa.

Minkiewicza w środowisku uwielbiano za jego inteligencję, talent i dowcip, ale uważano go za dziwkarza. Fakt, że czasem przyprowadzał do SPATiF-u panienki lekkich obyczajów prosto z ulicy. Zawsze były to dziewczyny z klasą, ale jednak kurewki. Traktował je z ogromnym szacunkiem, zapraszał na kolację. Przez jeden wieczór mogły się czuć, jakby były częścią dobrego towarzystwa, które przychodziło do SPATiF-u. Zdarzały się jednak wpadki. Kiedyś Janusz Minkiewicz zwierzył mi się: „Wiesz, Marysiu, cholera, mam za dobre serce i przeinwestowałem. Zaprosiłem taką jedną do SPATiF-u... Wiesz, że ja wieczorem nie jem, no ale ona chciała jeść. Miała ochotę na pieczarki. Nazamawiałem jej tych pieczarek całą górę, a ona wszystko zjadła. A jak wsiedliśmy do taksówki, żeby do mnie pojechać w wiadomym celu, to ona zaczęła rzygać. Po prostu się przeżarła... No i trudno. Pożegnałem się z nią, bo w takim stanie przecież nie będę jej do siebie do domu zapraszał. Oj, przeinwestowałem".

# Największa przyjemność w życiu

**N**ie miałam jeszcze szesnastu lat, kiedy zapaliłam pierwszy raz. Kolega poczęstował najpierw moją koleżankę, a potem mnie. Ona się zakrztusiła, ja pociągnęłam i wiedziałam, że to jest to, dla czego warto żyć. I tak mi już zostało.

Kiedyś dopadła mnie jakaś okropna choroba. Byłam strasznie przeziębiona i nie mogłam palić. To było dla mnie okropne. Nie denerwowałam się, że mam temperaturę prawie czterdzieści stopni i że koszmarnie mnie boli łeb, tylko że co brałam papierosa, to musiałam go gasić. Bałam się, że mi tak zostanie, znaczy, że nie będę mogła palić. Jezu! Ja co chwilę próbowałam... Może już będę mogła zapalić? Ciągle nie? A teraz? A za pięć minut? Gdy już mogłam wreszcie zapalić, to choć miałam jeszcze temperaturę, to czułam, że w końcu wracam do życia.

Pierwsze papierosy, jakie paliłam, to były wawele i giewonty, które podkradałam ojcu, bo ojciec palił. Ale w tamtych czasach to właściwie wszyscy palili, więc to nie było nic dziwnego. Mama jak poznała ojca we Lwowie, a on już palił, to też bardzo chciała i próbowała się nauczyć. Ale jej to zupełnie nie szło, więc w pewnym momencie odpuściła. Ja, gdy nauczyłam się palić, to podkradałam ojcu papierosy. Nauczyłam się rozklejać paczki nad parą z czajnika i wyciągać dwa papierosy. Wydawało mi się, że jestem taka cwaniura i że jak tak ułożę potem równo te papieroski i zakleję paczkę, to nikt się nie dowie. Potem się okazało, że ojciec doskonale sobie z tego zdawał sprawę i powiedział mi to po maturze, kiedy mnie poczęstował pierwszym oficjalnym papierosem. Nie był tym zachwycony, że palę, ale nie było też kiedyś takiej histerii jak teraz, związanej z paleniem tytoniu.

Po giewontach ojciec przerzucił się na wawele. A ja razem z nim. Wawele to były takie wtedy lepsze papierosy, pamiętam, że one nie były okrągłe, tylko lekko spłaszczone. Pierwsze papierosy, które sama zaczęłam kupować, to były czerwone carmeny. Bardzo je lubiłam. Mężczyźni zazwyczaj woleli caro, które były w niebieskich paczkach, nieco krótsze. A carmeny były takie dosyć długie i – jak to wówczas mówiono – perfumowane. Mój kolega, Tadzio Sznuk z radia, też je palił i wszyscy dziwili się: „Mężczyzna, a pali carmeny! No koniec świata!".

Wtedy kiepsko u mnie z pieniędzmi bywało. Zresztą teraz też jest – wiadomo – różnie. Ale jedzenie kupowałam dopiero wtedy, gdy już miałam papierosy. Te carmeny, pamiętam, kosztowały osiemnaście złotych. To były inne pieniądze, ale jak na tamte czasy, to i tak były dosyć drogie. I potem z carmenów od razu przeszłam na papierosy, które szalenie polubiłam. Raz mnie ktoś mentolowym poczęstował, najpierw bardzo mi nie smakowało, a potem byłam ze znajomym, który palił salemy. I te salemy mi się szalenie spodobały. Zaczęłam palić paczkę „normalnych", czyli carmenów i paczkę salemów. A potem kupowałam tylko salemy. I raptem salemy się skończyły. Podobno w Polsce się źle sprzedawały, zwłaszcza na wsi nikt tego nie kupował, bo były dosyć drogie. Bardzo długo szukałam papierosów, które będą mi tak smakowały, jak te salemy z lat osiemdziesiątych i wreszcie znalazłam. Nazywają się viva i nie jest je łatwo kupić. W innych miastach jeszcze nigdzie ich nie spotkałam. A w Warszawie to też tylko w nielicznych miejscach. Tu koło mnie pan w kiosku specjalnie dla mnie sprowadza, bo nikt inny tych papierosów nie kupuje.

W stanie wojennym, gdy wszystkiego brakowało, radziłam sobie bardzo dobrze. Te towary, co były, sprzedawano tylko na kartki. A ja te kartki oddawałam lub zamieniałam na kartki na papierosy. Ludzie chętnie brali talony na wódkę, na buty, na mąkę, cukier... Zostawiałam sobie tylko kartki na mięso, bo wtedy miałam psa, a pies musiał mieć mięso. Ja prawie mięsa nie jadłam, tylko dla pieska kupowałam. Podziwiałam Jacka Fedorowicza. On miał wtedy trzy psy i nauczył je, żeby jadły ryby, bo ryby sprzedawali bez kartek. Mieszkał z rodziną na Solcu, a obok był sklep rybny i oni te trzy wielkie psy karmili rybkami. Ja nie umiałam tak wytresować swojego psa, więc musiałam mu kupować mięso.

Gdy pozwolono znów wydawać gazety, pracowałam w „Szpilkach". W naszej redakcji był Jerzy Kleyny, autor popularnego przeboju „Kawiarenki". Jego krewny pracował gdzieś w fabryce papierosów i przynosił całe worki długich ścinków, czyli papierosów jeszcze niepociętych. Łapało się taki długi kawałek spinką do włosów i można było palić. Całkiem to dobrze smakowało!

Palenie jest dla mnie ważne. Kilka propozycji pracy odrzuciłam właśnie dlatego, że nie dałoby się tego pogodzić z moim ulubionym nałogiem.

Spotkałam się parę lat temu z Małgorzatą Domagalik, która bardzo mnie namawiała, żebym pisała do magazynu „Pani", a którego nie ukrywam – nie czytałam, bo ja takich babskich rzeczy nie lubię. Chciała, żebym coś do jej pisma robiła, ale nie było to nic konkretnego. Najpierw zaproponowała coś w rodzaju recenzji. Coś o filmach, o teatrze. Ja jej wtedy szczerze powiedziałam, że ze względu na swój nałóg nie jestem kinomanką. Bardziej już bym do teatru chodziła, tym bardziej że pracując wtedy z wieloma aktorami, mając takie znajomości, byłam zapraszana na właściwie wszystkie najlepsze premiery. Ale odkąd teraz w teatrze nawet w przerwie nie można zapalić we foyer, to przestałam tam chodzić. Dla mnie większą przyjemnością jest palenie papierosa w domu niż bycie w teatrze na premierze. Z pisania recenzji nic więc nie wyszło.

Ludzie, którzy nie palą, tego nie zrozumieją, ale rzucenie papierosów dla kogoś, kto je lubi, to najwyższe poświęcenie. Ja na coś takiego nigdy bym się nie zgodziła.

Stefania Grodzieńska mówiła mi, że kiedyś jeździła po Polsce ze spektaklami z Januszem Minkiewiczem, który w trasie nadużywał alkoholu. Siedzieli sobie w jakiejś kawiarni i choć było dopiero południe, to on już trochę przesadził. Nigdy na scenie nie zrobił jakiejś popeliny, ale ona była strasznie zdenerwowana i truła mu, żeby wreszcie przestał pić. Minkiewicz chciał, żeby w końcu się od niego odczepiła, i jej odpalił: „Chcesz, żebym przestał pić? To ty przestań palić!".

Grodzieńska się chciała upewnić, że dobrze słyszy: „A co, jak rzucę palenie, to ty przestaniesz pić?". I tak jak siedzieli w kawiarni, a ona trzymała w palcach zapalonego papierosa, to zdusiła go w popielniczce i więcej w życiu już nie zapaliła.

A Janusz oczywiście pić nie przestał.

Papierosy zbliżają ludzi. Kiedyś bardzo chciałam poznać profesora Mikołejkę. Przeczytałam jego felieton, jak mu przeszkadzają matki z dziećmi – zresztą bardzo go zaatakowano za to, co napisał – i strasznie go polubiłam. Później się okazało, że on też pali papierosy. Zostaliśmy zaproszeni do jakiegoś programu w telewizji i od razu przypadliśmy sobie do gustu. Spojrzał na mnie i zapytał: „Pani na pewno wie, gdzie się tu pali". No swój człowiek! Od razu pobiegliśmy na papierosa. To oczywiście nie jest taka znajomość, żebyśmy się spotykali prywatnie, ale szalenie go lubię i uważam za bardzo mądre jego felietony.

Teraz często jeżdżę na spotkania autorskie i wszędzie, gdzie można, latam samolotem. Bo to najszybszy sposób podróżowania i najkrótsza przerwa pomiędzy jednym papierosem a drugim. Bo odkąd w pociągach wprowadzono zakaz palenia, każda podróż to dla mnie męka. Na spotkaniach zawsze proszę o przerwy na papierosa, a czasem, jak ludzie już o mnie coś wiedzą, to pozwalają mi zapalić. Jak przyjeżdżam, to na sali czekają już na mnie fotel i popielniczka.

Jeśli chodzi o palenie, to uznaję tylko papierosy. Kiedyś na sylwestra byliśmy z mężem u znajomych. Byli Maciek Zembaty, Piotr Szczepanik i Fedorowiczowie. Ktoś przyniósł trawkę. Oglądaliśmy trochę telewizję, gadaliśmy przy stole, paliliśmy. Potem, gdy wracaliśmy do domu, Karolak strasznie się przeraził, bo wydawało mu się, że fruwa. I nie było to miłe uczucie. Coś okropnego. Ja nic nie czułam, ani miłego, ani strasznego, więc postanowiłam więcej już nie próbować trawki. Wolę zostać przy swoich papieroskach.

# Jak przeżyć 12 kaw dziennie

**K**awę zawsze lubiłam. Nie powiem, że od dziecka ani że wyssałam ją z mlekiem matki, bo mama nie piła kawy, więc nie mogłam jej wyssać z piersi, ale faktem jest, że wcześnie zaczęłam pić kawę i bardzo ją polubiłam. Natomiast – choć nikt w to nie wierzy – nigdy w życiu nie wypiłam szklanki herbaty. Dlatego gdy mi mówią: „Nie masz dzieci, to kto ci na starość poda szklankę herbaty?", odpowiadam, że jakby ktoś taki się znalazł i mi podał tę szklankę herbaty, to jeszcze bym go w ucho trzepnęła. Bo ja herbaty nie znoszę. I nawet wiem dlaczego. Kiedyś jako małe dziecko szłam przez plac Trzech Krzyży w Warszawie. Był tam taki postój dorożek. Pora była zimowa. Na ziemi leżał śnieg. I wtedy zobaczyłam, jak koń na ten biały śnieg zaczyna sikać. Ja zawsze zwierzątka lubiłam, więc patrzyłam zafascynowana. Nigdy czegoś takiego nie widziałam. A ten koń sikał i sikał. A mnie się wtedy skojarzyło, że na białym śniegu ten koń sika herbatą. I gdy mi ktoś dziś proponuje, żebym się napiła herbaty, to od razu przed oczami staje mi sikający koń. Od tamtego czasu nigdy nie tknęłam takiego napoju. Kawa to co innego.

Zresztą nie mam wyjścia. Coś przecież muszę pić. Słodkich soków nie cierpię, a za wodą, która jest z pewnością bardzo zdrowa, nie przepadam. Kiedyś próbowałam wypić dwa litry w ciągu dnia, tak jak to zalecają lekarze. Udało mi się tylko litr i się poddałam. Za to mogę wypić 10–12 kaw. Zwłaszcza odkąd można już w Polsce kupić kawę rozpuszczalną.

Tak zwanej plujki, czyli kawy sypanej zalanej wrzątkiem, dziś już bym do ust nie wzięła. Kiedyś innej nie było. Brałam więc sitko i przez sitko przelewałam zrobioną kawę do szklanki, żeby nie było potem tam jakichś farfocli. Tego nie cierpiałam.

Kawa nie jest mi potrzebna po to, żeby się jakoś ożywić, bo ja się budzę sama o szóstej rano bez budzika. Może dlatego, że w ogóle mało śpię, do czterech–pięciu godzin, nie dłużej. Napoleon ponoć jeszcze mniej spał. Zawsze tak miałam, dlatego byłam nieszczęśliwa jako dziecko, bo cała moja rodzina, zwłaszcza mama, w niedzielę lubiła sobie dłużej pospać. Mama była najważniejszą osobą w domu i trzeba było na palcach chodzić, żeby jej nie obudzić. A wtedy nie było jeszcze telewizji, żeby jakoś przetrwać kilka godzin. Oczywiście czytałam książki, ale ile można czytać książki? Kolegów ani koleżanek nie miałam, żeby wyjść gdzieś na podwórko i się pobawić. Nigdy tego nie praktykowałam. A jak tylko wstałam, żeby przejść się po mieszkaniu, to ojciec syczał do mnie: „Cicho, bo Ula śpi!". Ula to oczywiście moja mama – Urszula. To „cicho, bo Ula śpi" pamiętam do dzisiaj i ciągle się dziwię, że tak trzeba było się po domu skradać, chociaż Ula tak spała, że mogłabym na rowerze jeździć, a i tak by się nie obudziła. Bardzo mnie to wkurzało, a od kiedy jestem dorosła, też budzę się koło szóstej i na ogół, jeżeli mam coś do napisania, robię to rano, żeby odwalić jak najszybciej i żeby później już był spokój.

No i spokojnie wypijam sobie pierwszych kilka kaw. A potem kolejne. Zawsze z mlekiem, bo tak mi smakuje.

# Jak nie prowadzić się zdrowo i pracowicie

**J**uż tak mam, że jak widzę coś zdrowego, to mnie od razu odrzuca. Nie znoszę ekologicznego jedzenia. Jak jestem głodna o drugiej nad ranem, to sobie zrobię parówki. Palę papierosy. Śpię na siedząco w fotelu. Nie wyjeżdżam na wakacje. Nie znoszę wsi ani pieszych wędrówek.

Zawsze mnie zadziwiał Jacek Fedorowicz, który ma bzika na punkcie biegów. A jeszcze dodatkowo chodzi na jakieś marsze i regularnie ćwiczy. Jak wiadomo – jest raczej szczupły. I to był zawsze dla niego jakiś problem. Chciał mieć bicepsy, więc jak pisał na maszynie, to sobie do rąk przyczepiał ciężarki. To była jakaś znana metoda, ale dla mnie to było kompletne szaleństwo. Miał w domu swój pokój ćwiczeń i pracownię, na samej górze, żeby jeszcze musiał wchodzić tam po schodach. Nigdy tam nie byłam, bo uważałam, że to naprawdę przesada.

Jacek należał też do niewielkiego grona moich znajomych, którzy byli bardzo pracowici. I tak jak go lubiłam, to muszę powiedzieć, że pracowitość to cecha, która mi specjalnie nie imponuje. Zawsze wolałam takich ludzi, co to właściwie przychodzi im wszystko łatwo, nie wiadomo skąd. Kiedyś ktoś mnie spytał, czy bardziej cenię ludzi mniej zdolnych, ale takich pracowitych, co to do wszystkiego doszli swoją ciężką pracą, czy po prostu zdolnych leni. Chyba jasne, że wolę leniwych niż pracusiów.

Mój mąż mi mówił, że to samo dotyczy muzyki. Są tacy, którym wszystko łatwo przychodzi. Mają talent i już nie muszą się godzinami męczyć, żeby coś osiągnąć. Taki jest właśnie Wojtek Karolak. Choć razem mieszkamy już naprawdę wiele lat, to praktycznie nigdy nie słyszałam, żeby cokolwiek ćwiczył. Czasem sobie założy słuchawki i coś tam przy klawiaturze majstruje, ale to wtedy, gdy komponuje. Tak, żeby ćwiczył coś przed koncertem, to nie. Nigdy! A podobno jest naprawdę dobrym muzykiem. Opieram się na zdaniu innych, bo na jego koncerty nie chodzę, a muzyki nie słucham i się na niej nie znam.

Ale mamy też takiego znajomego jazzowego pianistę. Nazywa się Adam Makowicz. I on uwielbia ćwiczyć. Ale Karolak mówi, że Makowicz zawsze tak miał. Gdy studiował w krakowskiej Akademii Muzycznej, to grał bez przerwy, aż z palców zaczynała mu lecieć krew. Taki był zawzięty. Ale to dlatego, że pochodził z takiej małej wioski, gdzieś pod Cieszynem. Taki sam chłopski upór widziałam czasem na moich studiach, na wydziale dziennikarskim, gdzie większość studentów pochodziła ze wsi. Oni tak bardzo chcieli do czegoś w życiu dojść i wyrwać się z biedy, że tylko wkuwali, wkuwali i jedli tę słoninę, którą im rodzina do akademików przywoziła. Odrzucało mnie od ich towarzystwa, bo ja strasznie nie lubię chłopstwa. I najbardziej cenię, jak ludziom przychodzi wszystko tak od niechcenia. To mi się podoba. A jak ktoś musi ciężko harować, żeby coś osiągnąć, to mi to wcale nie imponuje.

# Przez sport
# do kalectwa

**T**ak, znam nazwę „jogging" i nawet mi się ona podoba. Ale, niestety, odpada, ponieważ wiąże się z ruchem fizycznym, którego nie znoszę. Od dziecka nie znosiłam nawet chodzić. Uważam, że kobieta ma nogi nie do chodzenia, tylko żeby były ładne i się podobały.

Ja najchętniej w ogóle bym tylko siedziała i była wożona. Może być taki samochód najnowszej generacji, co to go nie trzeba w ogóle prowadzić, czyli ja sobie mogę siedzieć i czytać, co chcę, a auto niech mnie wiezie. Brzydzą mnie wszelkie ćwiczenia fizyczne. Ludzie się przez to pocą jak w najgorszy upał. Rozumiem, że niektórzy uwielbiają sport, ale mnie od tego odrzuca i uważam, że hasło „sport to zdrowie" wymyślił ktoś, kto sportu nigdy nie uprawiał. Jeśliby choć raz spróbował się przebiec po Warszawie, to wymyśliłby hasło „Przez sport do kalectwa". Co chwilę słyszymy o kimś, kto sobie tak zdrowo biegał, a potem padł i umarł w wieku trzydziestu lat, bo sobie nie robił badań i myślał, że od tego biegania to jest zdrowy jak ryba. Albo w *Wiadomościach* mówią o naszej tyczkarce, która złamała sobie kręgosłup i do końca życia będzie sparaliżowana. Natomiast, żeby ktoś siedział w fotelu i sobie coś złamał, to nie słyszałam. Siedząc w fotelu, można najwyżej zasnąć. A niechbym nawet i tak umarła, w fotelu na siedząco, to chyba bym tak wolała, niż sobie coś złamać i nie móc się ruszać.

Sport jest dziś modny. Nawet gwiazdy jeżdżą na rowerach, hulajnogach, na koniach, skaczą z samolotów. To jakieś szaleństwo. Pewno myślą, że od tego będą tak zdrowi, że zrobią się nieśmiertelni.

Znam wiele osób, które przez sport się wykończyły. Zwłaszcza dziewczyny, które trenowały, trenowały, a jak przychodził pewien wiek, to przestawały trenować i natychmiast robiły się grube jak beczki. Bo organizm był przyzwyczajony, że one tak ciągle trenują. Przecież to jest ogólnie wiadoma sprawa. A mimo to wszystkie kolorowe magazyny zachęcają dziewczyny, żeby trenowały. Ja już bardziej rozumiem tych, którzy chcą mieć dziesięcioro czy piętnaścioro dzieci. Choć sama dzieci nie znoszę, to jeśli kogoś stać i ma taką potrzebę – proszę bardzo. Ale żeby promować ruch? Mnie nikt w to nie wciągnie. I to nie dlatego, że jestem już stara. Gdy byłam młoda – proszę nie patrzeć na mnie z powątpiewaniem, bo ja naprawdę byłam kiedyś młoda i podobno atrakcyjna – to właśnie głównie przez sport rozwiodłam się z moim pierwszym mężem.

On był po AWF-ie i bardzo chciał, żebym też podzielała jego entuzjazm do ćwiczeń fizycznych. Nawet mi jakieś ćwiczenia napisał. Miałam rano ruszać ręką, nogą... A ja mu powiedziałam, że ręce mam po to, by trzymać w nich papierosa. I od razu była awantura.

Potem pojechaliśmy razem zimą do Karpacza. Czubaszek wynajął instruktora, który kazał mi się przywiązać do nart i zjechać z jakiejś góry. No i raz zjechałam. A potem odpięłam te narty i natychmiast wyjechałam z tego Karpacza. Sama. Miałam dwadzieścia parę lat i już mnie od takich rzeczy odrzucało.

Właściwie to jak byłam jeszcze młodsza, miałam może dziewięć lat, to mnie korciło, żeby jeździć na rowerze. To było zrozumiałe, bo kolegowałam się właściwie tylko z chłopcami, trochę starszymi ode mnie. A oni wszyscy mieli rowery. Ale sama jeździłam na rowerze bardzo krótko, bo mama mnie przyłapała na tym, że jeżdżę z nogami na kierownicy. To oczywiście nie był mój rower – ja swojego nie miałam – tylko kolegi. Popisywałam się przed chłopakami, bo bardzo mi wtedy zależało, żeby im dorównać, i zachowywałam się tak jak oni. Ale odkąd jestem już stara – a jestem już od bardzo dawna – to mi już nie zależy, żeby się komukolwiek przypodobać i niczego tak głupiego nie robię.

Gdy miałam dwadzieścia lat, kupiłam sobie skuter, bo to było wtedy bardzo modne. Na skuterach w Warszawie jeździły głównie dziewczyny. W szpilkach, wydekoltowanych bluzeczkach, w szerokich spódnicach na sztywnej halce wyglądały bardzo ładnie. Podobało mi się to. Ale gdy przestało mi to sprawiać frajdę, skuter sprzedałam. Do dziś jednak uważam, że ładna, młoda dziewczyna na skuterze wygląda niezwykle efektownie. Cóż z tego, skoro większość ładnych dziewczyn zamiast eksponować swoją urodę, woli zamęczać się ćwiczeniami w śmierdzących siłowniach albo wciągać na siebie jakieś obcisłe szmaty i pędzić gdzieś na rolkach. Nawet ładna kobieta na rolkach wygląda nieestetycznie, jak enerdowska łyżwiarka.

Gdybym była mężczyzną, to chciałabym uprawiać tylko jeden sport – wyścigi samochodowe. Oczywiście nie po jakichś wertepach i błotach, tylko po szybkim torze F1. Mój dobry kolega Adam Kreczmar jeździł kiedyś na taki tor, bo miał różne ciekawe znajomości, a nawet pozwolili mu przejechać się samochodem wyścigowym i mówił że to duża frajda.

Gdy w telewizji zaczęli pokazywać wyścigi Formuły 1, to z przyjemnością patrzyłam. Zwłaszcza jak wygrywał szalenie przystojny Brazylijczyk Ayrton Senna. Ale on się zabił, niestety, i na jakiś czas przestałam oglądać wyścigi. Potem znów zaczęłam, gdy jeździł Robert Kubica, ale to bardziej mój mąż mu kibicował. Nawet jeździł gdzieś za granicę, żeby takie tory F1 filmować.

Jeżdżenie w wyścigach samochodowych podobałoby mi się z jeszcze jednego powodu. Tam są tak niebezpieczne prędkości, że jeśli są już wypadki, to często kończą się śmiercią. A ja wolałabym zginąć, niż zostać kaleką.

Więc jak wyścigi, to tylko samochodowe. Jonasz Kofta zabrał mnie kiedyś na wyścigi konne na warszawskim Służewcu i bardzo mi się to nie podobało. Jonasz się tym ekscytował i miał różne dziwne znajomości wśród facetów, którzy tam chodzili co tydzień i obstawiali zakłady, który koń przybiegnie pierwszy. Poszłam z ciekawości, ale gdy zaczęły się gonitwy, zamknęłam oczy i nie mogłam patrzeć na to, jak te biedne koniki biegną. Dżokejów mi w ogóle nie było szkoda, ale jak sobie wyobraziłam, co by się stało, gdyby któryś koń się potknął, przewrócił i złamał nogę... Przecież wiadomo, jak to się kończy dla konia – kula w łeb!

Na takie rzeczy nie mogę patrzeć. Jeśli coś mi się na tych wyścigach podobało, to jedynie obstawianie zakładów. Bo ja bardzo lubię hazard. Gdybym miała dużo pieniędzy, to może bym i chodziła na te wyścigi, jak pisarka Joanna Chmielewska. Ale na pewno bym nie przyglądała się, jak te koniki się męczą, tylko bym obstawiała.

Za to w ogóle mnie nie interesuje piłka nożna – podobno ulubiony sport Polaków. Ale ponieważ mam zawsze w domu włączony telewizor, to zdarza się, że akurat pokazują jakiś mecz i wtedy rzucę okiem. Mieszkałam jeszcze przy Świętokrzyskiej, na piętnastym piętrze, gdy wpadł do mnie kolega z radia – Tadziu Sznuk. Trochę się zdziwił, że oglądam mecz piłkarski, ale wytłumaczyłam mu, że w telewizji nic innego wtedy nie pokazywali. To były czasy, gdy były tylko dwa kanały, więc specjalnego wyboru nie było, a ja, gdy pracuję, lubię zerkać na telewizor, żeby się coś ruszało.

Ale postanowiłam skorzystać z tego, że przyszedł do mnie facet, który na pewno trochę na sporcie się zna, i zapytałam go: „Tadziu, mnie się wydawało, że w piłkę nożną grają dwie drużyny po jedenastu zawodników, a ja ich naliczyłam dwa razy tyle. O co chodzi?".

Sznuk spojrzał na telewizor i pokręcił głową: „Cholera! Ty masz na tym ekranie takie odbicia, że wszystko widać podwójnie".

No rzeczywiście, nie zauważyłam, a przecież wiedziałam, że tak blisko nadajnika na Pałacu Kultury telewizor oczywiście odbierał bardzo źle.

# Jeśli dieta,
# to najlepsza parówkowa

Jest taki marny dowcip:
– Jestem na diecie dwa tygodnie.
– Tak? I ile straciłaś?
– Czternaście dni.
Raz w życiu byłam na diecie. Właśnie przez dwa tygodnie. A to wszystko przez to, że chciałam być taka jak Gina Lollobrigida. Ona miała naprawdę świetną figurę, a szczególnie mi się podobało jej wcięcie w talii. Nigdy jeść nie lubiłam, więc pójście na dietę nie było aż takim wielkim wyrzeczeniem. Przez dwa tygodnie tylko piłam wodę i jadłam marchewkę. Nawet trochę schudłam, ale do Lollobrigidy nie zrobiłam się podobna ani trochę, co mnie raz na całe życie zniechęciło do wszelkich diet.

Od lat jem właściwie wciąż to samo – parówki. Bez żadnych dodatków, bo te wszystkie ketchupy i musztardy to mnie tylko brzydzą. Także bez chleba, bo nie lubię. Robię się głodna tak jakoś około drugiej nad ranem.

Wtedy wyciągam z zamrażalnika parówki, rozmrażam je, gotuję, a potem zjadam i idę spać. Tak, wiem. To nie jest najzdrowsza dieta, ale nic na to nie poradzę, że w ciągu dnia głodna nigdy nie jestem i przez całe życie nie kierowałam się tym, co jest zdrowe. Uważam, że mój organizm sam wie, czego mu potrzeba. Najchętniej bym niczego nie jadła i żywiła się samą energią kosmiczną, jak taki jeden piosenkarz – Stachursky (który swoją drogą na tej swojej diecie ostatnimi laty mocno przytył i waży już chyba ponad sto kilo), ale jem przez rozum, bo inaczej to bym normalnie padła, jak jakaś stara Nasza Szkapa.

Jeśli parówki są bardzo zamrożone, to czasem nie chce mi się ich rozmrażać. W lodówce mam więc jeszcze takie paszteciki w okrągłych plastikowych pojemniczkach. Gdy mam ochotę zrobić sobie taką małą ucztę, to kroję na plasterki świeży ogórek i smaruję te plasterki ogórka pasztetem, najchętniej o smaku paprykowym, tak jak inni smarują chleb. Jak zjem takie całe pudełeczko pasztetu, to naprawdę mam dosyć na cały następny dzień.

Mój mąż, gdy jeszcze pił, był bardzo szczupły. To mnie zawsze dziwiło, bo ludzie, którzy piją, najczęściej tyją, bo także lubią sobie pojeść. Ale Karolak gdy pił, to prawie w ogóle niczego nie jadł. Potem rzucił picie i natychmiast przytył. Choć je tylko raz dziennie, około jedenastej przed południem. Ale to dla niego taka późna kolacja, bo zaraz potem idzie spać. Więc może dlatego tyje, bo je tuż przed snem?

Jedzenie mogłoby dla mnie nie istnieć, gdyby nie lody. Gdybym kiedyś starała się schudnąć, to musiałabym odstawić lody. Ale tego chyba nigdy nie zrobię, bo lody kocham.

W bloku, w którym mieszkałam kiedyś, na rogu Marszałkowskiej i Świętokrzyskiej, na dole był Hortex. Miałam też kolegę, który mieszkał – też sam, tak jak i ja – tylko na dwudziestym siódmym piętrze. Kiedy robił imprezy, to koledzy wpadali do niego najczęściej z butelką wódki. Ale gdy zapominali kupić alkoholu, to czasem kupowali torty lodowe w Horteksie. On je wrzucał do lodówki, a następnego dnia mi przynosił takie trzy torty, bo mu zawalały lodówkę. I ja takie trzy torty lodowe mogłam zjeść jednego dnia. Tak wyglądała moja dieta.

I jakoś bardzo gruba nie jestem.

A w ciągu ponad pięćdziesięciu lat napatrzyłam się wystarczająco na tych, którzy chcieli schudnąć i rzucali się na jakieś diety. Z kobietami nie miałam na szczęście dużo do czynienia, ale i tak większość pań, które znam, jest na permanentnej diecie. Tylko te diety im się zmieniają. Raz będzie jakaś obrzydliwa kapuściana, innym razem samo mięso. No koszmar.

Mieliśmy takiego znajomego reżysera – Jerzego Markuszewskiego, który pracował w radiu przy *Ilustrowanym Tygodniku Rozrywkowym*. On bardzo lubił jeść, a jego matka była świetną kucharką. Więc nic dziwnego, że w pewnym momencie uznał, że jest już jego troszeczkę za dużo i postanowił pójść na dietę. Zastanawiał się, jaka dieta najbardziej przypadnie mu do gustu, i doszedł do wniosku, że taka, na której je się samo tłuste mięso. Oczywiście nic nie schudł.

Inny znajomy uparł się, że zdrowo będzie, jak on zacznie jeść kolorami. A potem chwalił się, że po kupce mógł poznać, że najpierw jadł buraczki, potem szpinak i tak dalej...

Diety na pewno nie można mylić z anoreksją, bo to jest choroba psychiczna, na którą głównie zapadają dziewczęta, ale podobno na Zachodzie już zdarza się, że i chłopcy. Chorzy na anoreksję wyglądają jak kościotrupy, ale patrzą w lustro i wydaje im się, że ciągle są za grubi. Ja też tak miewam. Co staję przed lustrem, to wołam do męża: – „O, Matko Boska! Wyglądam jak słonica!". A on się wtedy strasznie denerwuje, że ja w jakąś anoreksję wpadnę.

Najbardziej skuteczna dieta to podobno połknięcie jajeczek tasiemca. Nawet o tym myślałam, ale jednak strasznie bym się brzydziła zjeść tasiemca. Nie to, żebym się bała, bo ja lubię wszystkie zwierzątka, ale chyba nie jest to zwierzątko, które bardzo bym chciała mieć w sobie. A poza tym wcale nie jestem pewna, czy ten tasiemiec polubiłby parówki i pasztet. A ja przecież prawie nic innego nie jem.

I pewno już nie przytyję. Bo moja mama była bardzo drobna. Mojego wzrostu, a umierając ważyła czterdzieści kilogramów, więc raczej niedużo. Ojciec też był szczupły, a jak po wojnie wrócił z obozu, to w ogóle był jak trawka.

Wiem, że są tacy ludzie, którzy mówią, że warto żyć po to, żeby jeść. Ja uważam, że warto żyć, żeby palić papierosy.

Najgorsze dla mnie jest to, że ludzie lubią biesiadować. Prawie przestałam chodzić w gości, bo wszyscy uważają, że trzeba podejmować jedzeniem. Sadzają na siłę za stołem, który ugina się pod ciężarem tych wszystkich sałatek, zup, gotowanego czy smażonego mięsa... Większość z tych rzeczy mnie brzydzi. A jak kto mnie zmusza do jedzenia, to staram się po cichu wyrzucać rzeczy z talerza za tapczan.

Jak jeżdżę na spotkania autorskie, to też prawie zawsze chcą mnie zaciągnąć na kolację. Prawdopodobnie mają na to jakieś fundusze i chcą je wydać. Jak tylko mogę, staram się od tego wykręcić. W końcu uprosiłam swoją agentkę, żeby taktownie to jakoś załatwiła. Bo jak prezydent Wałbrzycha koniecznie chce mnie zaprosić po spotkaniu autorskim na kolację, to nie wypada odmówić, ale też okropnie niegrzecznie będzie, jak wszyscy będą coś jeść, a ja będę siedzieć i nic...

Dlatego moja agentka zawsze już uprzedza, że pani Maria Czubaszek chętnie może porozmawiać przy kawie, ale żeby nie ciągnąć jej na żadne jedzenie. W bibliotekach, gdzie panie bibliotekarki z dobrego serca chcą mnie częstować jakimiś ciastami, kłamię, że mam ze sobą parówki i zjem je – jak zawsze – przed snem o drugiej w nocy. Oczywiście to nieprawda, bo nie będę przecież ze sobą ciągać parówek. Ale wolę nic nie zjeść, niż patrzeć na coś, co mnie brzydzi.

# Jak zniechęcić się trwale do podróżowania

U rodziłam się w Warszawie i najchętniej bym się stąd nigdzie nie ruszała. Bardzo lubię lato – najlepiej niezbyt upalne, bo w tym czasie wszyscy z Warszawy wyjeżdżają, z wyjątkiem mnie i Staszka Tyma. On, jak go pytają, dokąd jedzie na wakacje, to odpowiada – nigdzie. Czekam, aż wszyscy wyjadą i mam całe miasto dla siebie.

Warszawa w lipcu i sierpniu jest cudownym miastem. Taksówka przyjeżdża pod dom w dwie minuty, a nie w pół godziny. Można pójść do urzędu i coś załatwić bez stania w kolejkach. Nawet, tak jak nie znoszę chodzić na zakupy, to latem zdarza mi się bywać w galeriach handlowych, bo jest dużo mniej ludzi, rozkrzyczanych nastolatków czy matek z wózkami.

Za to ze zgrozą patrzę na wiadomości z naszych bałtyckich plaż. Ostatni krzyk mody – parawaning to coś zupełnie niebywałego. Podobno, jeśli rodzina jedzie teraz nad morze, to koniecznie samiec musi wstać o szóstej rano i rozstawić nad wodą taką zagrodę z parawanów. A jaki jest potem z siebie dumny... TVN24 pokazywało takie zdjęcia z helikoptera. Cała plaża wygląda, jakby jacyś Cyganie porozwieszali tam swoje pranie. Gdy byłam dzieckiem, to rodzice wysyłali mnie na dwa miesiące do Karwi pod Jastrzębią Górą. Pamiętam piękne, puste plaże i jedną jedyną drogę, którą nic nie jeździło, a tylko dwa razy dziennie dzieciaki przepędzały stado gęsi.

Przez pierwszy miesiąc siedziałam tam z babcią, a potem przyjeżdżali moi rodzice. Potem przez wiele lat tam mnie nie było. Niedawno zatęskniłam za tymi szerokimi plażami, a akurat kolega jechał tam po swoje dzieci. Zabrałam się z nim, ale jak tylko zobaczyłam wielkie miasteczko namiotowe – namiot przy namiocie, jakby jakiś cyrk tam przyjechał, to powiedziałam sobie, że nigdy więcej już tam nie pojadę.

To już chyba nigdzie nie pojadę, bo z kolei gór to naprawdę nie znoszę.

W prawdziwych górach – na Podhalu – byłam raz. Miałam chyba dwadzieścia jeden lat i wybrałam się z kolegą do Bukowiny Tatrzańskiej. Jakoś specjalnie tego kolegi nie lubiłam, ale zgadaliśmy się, że ani on, ani ja nigdy nie byliśmy w górach. No to załatwiliśmy, co trzeba, i pojechaliśmy razem.

Najpierw pociągiem do Zakopanego, a potem autobusem do Bukowiny Tatrzańskiej. Trochę nas zaskoczył siarczysty mróz. Zima w Warszawie była akurat dość łagodna, a ja myślałam, że jak już jadę do uzdrowiska, to będę w szpilkach, spódniczce w kratę, cienkich pończochach i na to narzuciłam bardzo modny cienki płaszczyk – dyplomatka. Kolega też był elegancko – w garniturze i ciemnych półbutach.

Autobus zatrzymał się na krzyżówce w Bukowinie i musieliśmy wysiąść. Zaczęliśmy pytać, gdzie jest ten nasz pensjonat Warta. Ktoś nam pokazał daleko jakiś domek stojący na stromej górze. O, Matko Boska! Ja mam tam dojść? W tych szpilkach?

Przy krzyżówce była taka góralska karczma, więc weszliśmy, żeby się trochę ogrzać. Facet za barem spojrzał na nas i natychmiast orzekł, że trzeba nam dać gorącą herbatę. Zaprotestowałam, bo ja herbaty w ogóle nie piję, ale on tylko wzruszył ramionami i powiedział, że herbatę, którą on mi przyrządzi, na pewno wypiję. To była tak zwana góralska herbata pół na pół z wódką. Coś okropnego, ale fakt, że na chwilę pomogło. Co z tego, skoro zanim dotarliśmy do tego naszego pensjonatu, byłam całkowicie skostniała. Nogi w szpilkach mi się rozjeżdżały, kilka razy upadłam, rozbiłam do krwi kolana i potargałam pończochy.

Następnego dnia pojechaliśmy do Zakopanego i tam na targu kupiłam jakieś normalne buty. Na góry patrzyłam z odrazą i nie było mowy, żebym gdziekolwiek się ruszyła z miasta. Ale zawsze lubiłam spoglądać na morze (kąpać to się w Bałtyku nigdy nie dawało), bo to była otwarta przestrzeń, fale, miało się wrażenie, że to jakoś żyje. A góry? Przypominały mi jakieś sparaliżowane w dziwnych pozach trupy. Mogłam się ewentualnie przejść po Krupówkach i usiąść w barze Poraj, napić się grzanego wina.

Jeśli akurat nie chciało nam się jechać do Zakopanego, to chodziliśmy do tej góralskiej karczmy przy krzyżówce w Bukowinie Tatrzańskiej. W pierwszej sali siedzieli górale. Szybko nauczyliśmy się, że trzeba cichcem przemykać pod ścianą, bo oni pili ostro od rana i codziennie tam dochodziło do bójek na sztachety i ciupagi. Krew się lała. Natomiast druga sala była dla gości. Podawali tam półmisek z takimi cieniutkimi kabanosami, dosłownie jak oprawka od okularów. Były suche, łatwo się łamały i chrupaliśmy je jak słone paluszki. Wyjątkowo smaczne. Do tego wódka. Ja czystej nigdy nie piję, ten kolega też nie był amatorem, a coli jeszcze wtedy u nas nie sprzedawali. Więc popijaliśmy czystą jakimś okropnym sokiem pomidorowym. Ale co robić?

Najmilsza chwila całego urlopu w górach to był powrót do Warszawy. Gdy pociąg wjeżdżał na stację, czułam się naprawdę szczęśliwa. Nigdy więcej w Tatry już nie pojechałam.

# O wyższości pokera
# nad brydżem

O d zawsze miałam wielkie marzenie: być bogatą staruszką, pić campari, palić papierosy i grać w pokera. Oczywiście na pieniądze. Ale gdybym była bogata, to przecież nie byłby to dla mnie problem, prawda?

Zanim nauczyłam się grać w pokera, to próbowałam – bez większych sukcesów – zostać brydżystką. Chodziłam na przedstawienia do STS-u, naprzeciwko gmachu sądów. Byli tam świetni ludzie, a te przedstawienia mi się szalenie podobały. Zaprzyjaźniłam się z wieloma osobami z STS-u i oprócz tego, że byłam chyba na każdej premierze, to do STS-u chodziło się tak jak do SPATiF-u, przede wszystkim z uwagi na życie towarzyskie. Przechodziło się przez widownię i szło na zaplecze. Tam było bardzo mało miejsca, ale wszyscy palili, pili wódkę i grali w brydża. Na zapleczu STS-u poznałam Agnieszkę Osiecką, ale się chyba nie polubiłyśmy. Natomiast polubił mnie starszy kolega,

Ziemowit Fedecki, autor tekstów kabaretowych i tłumacz z rosyjskiego. Uważał, że jestem inteligentna. A jak jestem inteligentna, to na pewno nauczę się grać w brydża. Widocznie jednak nie byłam inteligentna, bo brydż mnie śmiertelnie nudził i w ogóle się nie wciągnęłam. Niby coś tam grałam, ale myślałam tylko, jak tu oderwać się od tych kart. Zupełnie mnie to nie interesowało.

Jedyna gra, w którą natychmiast się wciągnęłam, to był poker.

W pokera nauczył mnie grać Jurek Satanowski, teraz znany kompozytor, a wtedy bidulek, który przyjeżdżał do nas do radia, do Trójki na Myśliwiecką, bo Adam Kreczmar gdzieś go poznał, a on lubił się takimi młodymi zaopiekować. Kreczmar miał takie poczucie misji, że trzeba ludziom pomagać. A Satanowski mieszkał w Poznaniu i nie miał z czego żyć. Zarabiał tylko, grając w pokera. Przyjeżdżał do nas z gitarką, śpiewał jakieś piosenki. Szalenie wszyscy go polubiliśmy. Czasem, jak nie miał na hotel, zatrzymywał się u mnie. Ja już wtedy byłam po rozwodzie z Czubaszkiem i mieszkałam sama na Świętokrzyskiej. Ponieważ często siedziałam całe noce w SPATiF-ie, to Jurkowi zostawiałam klucze do mieszkania, żeby przenocował u mnie. Ale lubiłam z nim też pogadać. To on nauczył mnie podstaw pokera i zaraził miłością do tej gry. W pokera mogłabym grać codziennie i by mi się to nie znudziło. Jak kiedyś wygram na loterii dużą sumę pieniędzy, to już będę wiedziała, w co ją zainwestować. W papierosy i pokera. To będzie dopiero życie!

# Czego się nie robi kotu. Ani psu

**D**wa razy próbowałam popełnić samobójstwo. Wcale się tego nie wstydzę. Wręcz byłam z tego bardzo dumna. Wciąż żyję, bo uratowała mnie miłość do psów.

Kiedy już nałykałam się jakichś prochów i z radością myślałam, jak to cudownie teraz będzie tak sobie zasnąć i już się nigdy nie obudzić, wtedy gwałtownie przyszła myśl: „Matko Boska! A co z moją suką?".

Mieszkałam na piętnastym piętrze, na Świętokrzyskiej róg Marszałkowskiej. Byłam sama, bo Karolaka jeszcze wtedy nie znałam. Miałam tylko pieska. I zaczęłam dopiero wtedy myśleć. Co będzie, jeśli ja umrę? Ktoś pewno zadzwoni, zapuka. Ale ja nie otworzę. I to biedne zwierzę padnie tu z głodu. Przeze mnie. A wcześniej będzie cierpiało niewyprowadzone na spacer. Nie mogłam do tego dopuścić. Żyć mi się nie chciało i dalej marzyłam o tym, żeby umrzeć, ale najpierw musiałam załatwić psu opiekę.

Zadzwoniłam do znajomego weterynarza i takim głosem dosyć już słabym, bo te prochy chyba zaczęły działać, powiedziałam: „Bogdan, słuchaj, czy ty się zajmiesz Igą?".

On się, oczywiście, spytał: „A dlaczego?".

I ja już taka trochę otumaniona powiedziałam: „Bo ja mam już tego dosyć. Nałykałam się takich prochów, ale mam pieska i przecież go tak nie zostawię. Błagam, czy ty się moją suczką zajmiesz?".

Tyle powiedziałam, no i odłożyłam słuchawkę. A on przyjechał od razu i mnie zawiózł na pogotowie, gdzie mi robili jakieś płukanie. To było straszne! Jezus Maria! Jak ja strasznie wtedy znielubiłam tego weterynarza, bo mi popsuł całą radość z samobójstwa. A mnie się to tak podobało...

Wszyscy mi mówią, że samobójstwo to jest tchórzostwo. Że człowiek kończy ze sobą, bo się boi życia. A ja uważam, że to jest odwaga, że tak naprawdę to każdy normalny człowiek bardziej się boi śmierci. Woody Allen ładnie to gdzieś ujął: „Osobiście nie mam nic przeciwko śmierci, ale gdy po mnie przyjdzie, to wolałbym, żeby mnie wtedy nie było w domu". Strach przed śmiercią jest w naturze człowieka, więc dla mnie samobójcy są bohaterami. Podziwiam ich po prostu, bo wiem, że to jest trudna sprawa, wymaga odwagi. Natomiast uporczywe trzymanie się życia, nawet wtedy gdy nie ma ono żadnego sensu albo wiąże się ze straszliwym cierpieniem, mnie zupełnie nie interesuje.

Mało jest wydarzeń w naszym życiu, gdy tak bardzo mamy wpływ na nasz los. Człowiek sam nie ma wpływu na to, czy się urodzi. To decyzja, którą ktoś podjął za nas. Często jakiś kretyn, co nie powinien mieć dzieci, raptem je ma. Dlatego uważam, że człowiek powinien decydować, kiedy chce odejść. Jeżeli go przestaje bawić to życie, przestaje mu się podobać, to powinien mieć takie prawo, żeby popełnić samobójstwo. Jestem absolutnie za eutanazją. I to nie tylko taką, gdy ktoś chce z sobą skończyć, bo zachorował na jakąś nieuleczalną chorobę. Powinnam mieć prawną możliwość odebrania sobie życia nawet wtedy, gdy raptem dochodzę do wniosku, że ja mam już dosyć. Ktoś może powiedzieć, że przecież nikt mnie siłą od samobójstwa nie powstrzyma. Racja. Ale nie chcę się wieszać, ciachać, patrzeć, jak krew się leje po kafelkach w łazience. O rzucaniu się z okna czy wchodzeniu pod rozpędzony pociąg nie ma nawet mowy. To jest nieestetyczne! Chciałabym mieć prawo zadzwonić do odpowiedniej instytucji albo po prostu lekarza i załatwić tę sprawę po ludzku. Podpisać jakiś dokument, że ja mam dosyć życia. I tyle. Nawet guzik to powinno ich obchodzić dlaczego. Nie wiem, może zrobił mi się pęcherz na pięcie i mi się to nie podoba? Albo po prostu mam dosyć? Jeżeli jestem w pełni świadoma tego, co mówię, widać, że nie jestem pijana, to powinnam mieć prawo, żeby dostać środki takie, że sobie spokojnie zasnę i się nie obudzę.

Wiem, że u nas, przynajmniej za mojego życia, to nie przejdzie. Ale są takie kraje, na przykład Szwajcaria, gdzie eutanazja jest dozwolona. To jeden z powodów, dla którego naprawdę chciałabym być bogata.

Po pierwsze mogłabym pomagać zwierzątkom. Zapisałabym im w spadku sporą sumkę. Resztę dostałby Karolak, żeby nie musiał się martwić o to, jak zapłacić czynsz za nasze mieszkanie, i mógł się zajmować do końca życia już tylko swoją muzyką. A sobie zostawiłabym tylko tyle pieniędzy, żeby pojechać do Szwajcarii i zafundować odpowiedni zastrzyk. Zastrzyk byłby najlepszy, bo przekonałam się z tymi prochami, że to nie jest skuteczny sposób. Zawsze mogą człowieka odratować, a drugi raz nie chciałabym już tego przeżyć.

Póki co jednak nagłe bogactwo mi nie grozi.

Trzeba żyć i to mi się bardzo nie podoba. Ale wiem, że kiedy dojdę do wniosku, że absolutnie to już nie ma dalej sensu, to na pewno wymyślę jakiś sposób. Nie będę czekała na to, aż opuszczą mnie wszystkie siły. Już jestem w takim wieku, że nie mogę szybko chodzić. Zdrowie nie takie jak kiedyś. Ale nie wyobrażam sobie tego, bym stała się dla kogoś ciężarem. To by było dla mnie okropne. Nie można drugiemu człowiekowi robić takiego świństwa. Mam wśród bliskich osób znajomych, gdzie młodej kobiecie koledzy zrobili w pracy głupi żart: odsunęli jej krzesło, gdy siadała. Uderzyła głową w kant stołu i stała się całkowicie sparaliżowana. Jej mąż przez ponad piętnaście lat musiał ją pielęgnować: karmić, zmieniać jej pieluchy, myć... To jest coś strasznego. Ja sobie nie wyobrażam, że mogłabym być taką roślinką. Wolałabym umrzeć.

Mój mąż, w przeciwieństwie do mnie, boi się mojej śmierci. Mówi, że gdybym ja umarła, to dla niego byłaby to potworna tragedia. Ale ja w to nie wierzę, bo każdy człowiek się do tego przyzwyczaja. Kiedyś żył i mnie nie znał, i nie było żadnej tragedii. Tak samo teraz – jakbym umarła, też dałby sobie radę. Pomartwiłby się, pomartwił, a potem by mu przeszło.

Mnie przestało to życie już bawić dawno. Właściwie już mnie nic nie interesuje. Nie przypuszczam, żeby coś fajnego mogło mnie jeszcze spotkać. Ja się tak nie trzymam kurczowo życia, uważam, że w pewnym momencie warto już powiedzieć „koniec". Życie musi trochę bawić, a mnie właściwie już w ogóle nic nie bawi.

# Jak serdecznie nie znosić starości

**G**dy mówię wprost o tym, że już jestem stara, to ludzie nie wiedzą, jak mają zareagować. Ja nie widzę powodu, żebym miała to ukrywać, udawać dzidzię-piernik. Przecież mam siedemdziesiąt sześć lat i to po mnie widać. Kiedy to mówię, to – nawet jak się ktoś ze mną zgadza – najczęściej słyszę, że najważniejsze jest to, jak kto się czuje, że należy być młodym duchem, że bywają ludzie, którzy są wiecznie młodzi...

A ja na to mówię: „Gówno prawda!".

Co to znaczy „młody duchem"? Jeżeli ktoś jest w takim wieku jak ja, a nie był bogaty – czyli musiał pracować tak jak ja od dwudziestego roku życia, to naprawdę ma już w pewnym momencie wszystkiego dość. Każda praca, którą się wykonuje ze świadomością, że to jedyny sposób na utrzymanie – męczy. Nawet jeśli się jest młodą kobietą i zarabia się za przeproszeniem – dupą, to też nie jest łatwe. Po pierwsze:

trzeba być bardzo ładną. A po drugie: za długo tego fachu uprawiać nie można. Po trzecie: nie każdy to lubi. Ja bym tego nie lubiła, nawet będąc młodą i gdybym miała „warunki", toby mnie do tego specjalnie nie ciągnęło. W ogóle nie mam i nigdy nie miałam bzika na punkcie seksu i raczej się brzydzę takich rzeczy.

Starość zawsze mnie przerażała. Pamiętam – i do dzisiaj mi wstyd – jaką straszną plamę dałam ponad pięćdziesiąt lat temu w barku w Hotelu Europejskim. Spotykałam się tam na wódeczce ze starszym ode mnie o co najmniej dwadzieścia lat pisarzem i satyrykiem Anatolem Potemkowskim. Imponował mi swoją kulturą osobistą i inteligencją, tak jak Jeremi Przybora czy Janusz Minkiewicz. Rozmowa zeszła na wiek – a ja miałam może ze dwadzieścia lat i strasznie się bałam, że się kiedyś zestarzeję. Potemkowski popatrzył na mnie pobłażliwie i zapytał:

– A ile chciałabyś żyć?

Ja wtedy bez zastanowienia wypaliłam:

– Do trzydziestki! Bo potem zaczyna się starość.

On się roześmiał, ale wyczułam natychmiast, że popełniłam straszną gafę, bo wyszło na to, że on już od jakiegoś czasu jest starcem, który nie wiadomo po co żyje.

A potem, gdy sama skończyłam trzydzieści lat, to zapomniałam o tym, że to miała być granica starości.

Pierwszy raz poczułam, że coś ze mną jest nie tak, gdy jakoś piętnaście lat temu ktoś ze znajomych zadzwonił i próbował mnie wyciągnąć na imprezę. Męża akurat nie było – gdzieś wyjechał pracować, a mnie się tak strasznie nie chciało. I wtedy przypomniałam sobie, że kiedyś co wieczór bywałam w SPATiF-ie, chodziłam do filmowców w Ścieku, do Dziennikarzy... Bardzo lubiłam to życie towarzyskie. A potem mi jakoś przeszło. Wolałam zostać w domu i pooglądać choćby i najdurniejszą telewizję. To chyba dowód starości, że mnie już do ludzi nie ciągnie. Lubię nawet te dni, gdy mój mąż wyjeżdża. Jestem wtedy sama i bardzo mi z tym dobrze.

Tak sobie czasem myślę, że chyba powinnam być samotna. Po pierwszym małżeństwie, które było raczej z kaprysu niż z miłości, obiecałam sobie, że już zawsze będę sama. Ale jakoś mnie do Karolaka przekonali. Słuchałam kiedyś psychologów, którzy mówili mi, że należę do tego niewielkiego procentu ludzi, którym nie jest do szczęścia potrzebny drugi człowiek. Dlatego też nigdy nie zdecydowałam się na dziecko – ja po prostu nie lubię mieć kogoś obok siebie. Z samą sobą jest mi świetnie. Nigdy się ze sobą nie nudzę: albo sobie coś czytam, albo jakąś głupotę obejrzę w telewizji. Bylebym miała papierosy, to jestem całkowicie szczęśliwa.

Czytałam ostatnio artykuł w „Gazecie Wyborczej", który mi się szalenie spodobał. Profesor Zbigniew Szawarski, bioetyk z Polskiej Akademii Nauk, wypowiadał się o starości. A wie, o czym mówi, bo ma dokładnie tyle lat co ja. Nie poznałam go osobiście, ale lubię go, bo mówi szczerze, że każdy człowiek ma prawo do życia i powinien mieć prawo do godnej śmierci. I chodzi tu oczywiście o eutanazję. A jeśli mówimy o starości, to sprawa jest oczywiście względna. Kiedyś, jeśli kobieta miała trzydzieści lat, to już była starość – i szykowała się, by pójść do piachu. A teraz to dopiero w tym wieku zastanawia się, co zrobić ze swoim życiem. Jeśli chodzi o starość, to wiek kobiet i mężczyzn się zbliżył. Mniej więcej około siedemdziesiątego piątego roku życia przeciętnie zdrowy człowiek, w dobrej formie, zaczyna się gwałtownie starzeć. Organizm jest już po prostu zużyty. Ja to już mocno czuję i dlatego wcale nie marzę o tym, żeby długo żyć. Ale nie mówię tego na głos, bo mój mąż, gdy to słyszy, bardzo się denerwuje. Podejrzewam, że Karolak chciałby żyć wiecznie. Ja nie mam takich ambicji...

# Jak nie pójść na randkę z Woodym Allenem

Podobał mi się od zawsze, choć nie jestem kinomanką. Zaczęłam go uwielbiać, nie widząc ani jednego jego filmu. Zachwyciłam się, gdy przeczytałam wywiad z nim na temat życia, śmierci i miłości. Właściwie we wszystkim się z nim zgadzałam. Mówił pięknie to, co ja bym powiedziała, ale nie tak ładnie, bo aż tak ładnie to nie potrafię. Potem przeczytałam kilka jego książek i to samo – zachwyt. Ja zawsze wolę książkę od filmu. Ktoś powiedział, że film „50 twarzy Greya" zrobiono dla tych, którzy nie potrafią czytać. A dla tych, co dodatkowo jeszcze nie umieją liczyć, zrobi się film „Dużo twarzy Greya". Żeby ich nie stresować.

Gdy rozpoczęłam współpracę z HBO, kanałem telewizyjnym, który w Polsce wprowadzał stand-up, pokazano mi trzy występy sceniczne Allena. Był po prostu znakomity i moja miłość do niego się umocniła. Dopiero wtedy sięgnęłam po jego filmy. Ale nie oglądałam ich w sali kinowej, tylko tak jak lubię: w domu, na fotelu, z papieroskiem w dłoni...

Uwielbiam jego poglądy na sprawy finansowe. Któryś z bohaterów Allena mówi: „Lepiej mieć pieniądze, niż ich nie mieć. To się opłaca, chociażby ze względów finansowych". Też jestem tego zdania. Albo to: „Bogactwa nie należy się wstydzić". Gdybym była bogata, na pewno bym się tego nie wstydziła. I jeszcze jedno: „Przepraszam, że nie mam bentleya" – to mój ulubiony cytat z Woody'ego Allena.

Usłyszałam parę lat temu, że jesteśmy z Allenem do siebie podobni. Tak samo mamy nienachalną urodę. Bardzo mnie to ucieszyło, bo wolę ten typ urody niż wdzięk Pudziana. Mięśniaki to koszmar! Mój pierwszy mąż – Czubaszek – był kulturystą. Poznaliśmy się na Wydziale Dziennikarskim, ale on jeszcze dodatkowo uprawiał sport i kilka razy poszłam obejrzeć zawody kulturystyczne. Dramat! I nawet nie chodzi o to, co kobiety zwykle szepczą, że jak facet ma duże mięśnie, to ma małego. To mnie akurat mało obchodzi. Ale po prostu nie wierzę, że jak ktoś hoduje bicepsy jak arbuzy, to że może mieć jeszcze mózg. Mózg? Pomiędzy takimi mięśniami? Musi wyglądać jak orzeszek. A mózg to najseksowniejszy męski organ. Prawdziwa tragedia to przystojny facet, ale durny i bez poczucia humoru.

Czytałam niedawno jakiś wywiad z pewną amerykańską aktorką, której dziennikarz zadał pytanie: „Co jest ważniejsze: inteligencja czy poczucie humoru?". Odpowiedziała całkiem sprytnie, że jedno jest związane z drugim. Jak jest inteligentny, to ma poczucie humoru. Polakom najbardziej brakuje dystansu do siebie i – właśnie – poczucia humoru. Za granicą jest z tym lepiej. Chyba. W zasadzie to nie mam pojęcia, bo ja nigdzie nie jeżdżę. Ostatnio pierwszy raz w życiu byłam na Zachodzie. Pojechałam do Irlandii na spotkanie autorskie. Nikt w to nie wierzy, ale ja naprawdę jeździłam gdziekolwiek bardzo rzadko, choć mój mąż, Wojciech Karolak, zwiedził cały świat i wielokrotnie mnie prosił, żebym z nim gdzieś pojechała.

Nie miałam takiej potrzeby.

Nawet do Woody'ego Allena nie musiałam jechać, bo to on przyjechał do mnie.

A właściwie to do Warszawy, na koncert ze swoim jazzowym zespołem.

Dostałam vipowskie bilety, które uprawniały do wejścia za kulisy i uczestnictwa w małym przyjęciu, które wydano na cześć gwiazdy. Ale, choć na koncercie siedziałam jak urzeczona, to nie poszłam na to prywatne spotkanie, w którym miał uczestniczyć także Allen.

Bałam się konfrontacji moich wyobrażeń z rzeczywistością. Zazwyczaj takie spotkania pozostawiają kiepskie wspomnienia. Idola powinno się podziwiać z daleka. Zresztą z dobrze poinformowanych źródeł dowiedziałam się potem, że Woody wyszedł z takiego samego założenia i na vipowskim spotkaniu po koncercie także się nie pojawił.

Jeden z dziennikarzy zapytał mnie potem, czy jeśli Woody Allen zaprosiłby mnie osobiście, żebym poszła po tym koncercie razem z nim na kolację, to czy bym się zgodziła. Powiedziałam, że oczywiście! Allenowi bym nie odmówiła.

Musiałabym tylko zabrać ze sobą męża. Karolak, w przeciwieństwie do mnie, świetnie mówi po angielsku. No i w tym wieku na żadną randkę bez męża się nie ruszam!

# Jak wykiwać Urbana

**W** branży, w której pracuję, najczęściej stykam się z ludźmi zdolnymi, ale bardzo leniwymi. Sama jestem bardzo leniwa, bo tak naprawdę, to nie cierpię pisać. Nie znoszę też spotkań autorskich, na które ostatnio bardzo często jeżdżę. W ogóle nie lubię pracować. Podziwiam ludzi, którzy potrafią zmusić się i wydawać co najmniej jedną książkę rocznie. A już w ogóle tytanem pracy jest według mnie Marcin Wolski, który wydał chyba sześćdziesiąt siedem książek i na tym wcale nie poprzestał. Ciągle coś pisze.

Nie wiem, po co tyle się pisze i wydaje, bo przecież teraz już więcej ludzi pisze niż czyta. Ja zresztą wolę krótkie formy, jak na przykład słuchowiska radiowe.

Zdobyłam sobie tymi słuchowiskami pewną popularność, ale zawsze powtarzam – i nie jest to z mojej strony fałszywa skromność – że to nie dlatego, że byłam taką fajną autorką, tylko dlatego, że miałam niezwykłych wykonawców.

Mówię w czasie przeszłym, bo przecież dawno radio nie nagrywa moich nowych tekstów. Zresztą już przestałam pisać słuchowiska, bo w większości nie ma aktorów, dla których to robiłam. Nie ma też już człowieka, który mnie do pisania zmusił – reżysera Jurka Dobrowolskiego. To on kazał mi pisać skecze radiowe, a potem dawał to, co napisałam, do zagrania Irenie Kwiatkowskiej, Wojtkowi Pokorze czy Bogusiowi Łazuce. To ich zasługą jest to, że ludzie mieli mnie za świetną autorkę słuchowisk radiowych.

Trzymałam się też przez całe życie jednej żelaznej zasady: nigdy nie dałam się wciągnąć do studia radiowego, żeby – jak to się mówiło – „dać głos". Koledzy z *Ilustrowanego Tygodnika Rozrywkowego*, którzy prowadzili te audycje, czasami pod jakimś pretekstem ściągali mnie do studia w czasie nagrania i łaskotali, żebym chociaż jedno słowo powiedziała. Albo żebym się zaśmiała. Chodziło o to, żebym udowodniła, że naprawdę istnieję. Bo w tamtym czasie wszyscy autorzy co jakiś czas występowali przed mikrofonem. A ja – nigdy. I mimo że podstępem mnie próbowano do tego zmusić, to się nie dałam. Uważałam, że skoro nie bardzo nadaję się do pisania słuchowisk – a tak wtedy myślałam – to tym bardziej nie powinnam w nich występować.

I myślę, że ta moja niechęć do publicznych wystąpień sprawiła, że stałam się mimowolnie bohaterką jednego z felietonów Jerzego Urbana. Napisał w „Polityce", że choć cała Warszawa mówi cytatami ze słuchowisk Czubaszek, to tak naprawdę taka osoba w ogóle nie istnieje, a teksty piszą zbiorowo sami aktorzy pod pseudonimem „Maria Czubaszek". Dał się na to złapać nawet Jeremi Przybora, którego wtedy jeszcze nie znałam. Gdy któryś z naszych aktorów pochwalił jego Kabaret Starszych Panów, to Przybora machnął ręką i kurtuazyjnie odpowiedział: „Przecież wy to lepsze rzeczy piszecie pod tym zabawnym pseudonimem »Czubaszek«".

Miałam więc satysfakcję, że nie istnieję, a pracuję. Pisałam wtedy najchętniej krótkie skecze: „Dzień dobry, jestem z kobry" czy „Serwus, jestem nerwus". Dobrze mi się pisało, ale potem radio przestało mieć pieniądze na aktorów. To znaczy pieniądze może by się i znalazły, ale po prostu ktoś na samej górze doszedł do wniosku, że nie warto tyle wydawać na kabarecik, i nas z radia wyrzucono. A ja odetchnęłam, bo nigdy specjalnie nie lubiłam pracować, a skoro nawet Urban nie wierzył w to, że ja istnieję, to znaczyło, że wyrzucili kogoś, kogo tak naprawdę nigdy nie było. Więc w sumie nic się takiego nie stało.

# Jak zostać gwiazdą „Playboya"

**M**arcin Meller zaprosił mnie kilka razy do swojego programu w TVN24 – *Drugiego śniadania mistrzów*, a potem zapytał, czy bym nie udzieliła wywiadu „Playboyowi", którego był wtedy redaktorem naczelnym. Trochę się zdziwiłam: „Panie Marcinie, no wie pan... W moim wieku?". Ale potem przyszło dwóch sympatycznych panów na rozmowę i już nie było jak się z tego wycofać.

Od razu zastrzegłam, że na pewno nie będę rozmawiała o seksie, bo ja już jak przez mgłę te rzeczy pamiętam, a pamięć zawsze miałam strasznie kiepską. Więc mogę im po prostu opowiedzieć o życiu. A jak mówię o życiu, to zawsze jakoś tak wychodzi, że zaczynam mówić o śmierci. W końcu to mój ulubiony temat...

Miło się rozmawiało, ale byłam pewna, że to nie pójdzie. Tymczasem zadzwonił fotograf i powiedział, że chce mi zrobić zdjęcia do „Playboya". Ostrożnie powiedziałam mu, że ma prawo nie wiedzieć, kim jestem, ale ja czasem „Playboya" kupuję i wiem, jakie dziewczyny występują u nich na zdjęciach. I choć nie orientuję się, ilu czytelników ma polski „Playboy", to po opublikowaniu mojej sesji zdjęciowej nikt już więcej po to pismo nie sięgnie. Więc jeśli dobrze życzy swojej gazecie, to niech lepiej da mi spokój.

Zupełnie go to nie zraziło. Powiedział, że czytał już wywiad i że dużo tam mówię o śmierci. No pewnie, że dużo – bo to przecież mój konik. No właśnie...

On na to:

– Mam taki pomysł: zróbmy sesję zdjęciową na cmentarzu. Najlepiej na Powązkach!

A to mi się bardzo spodobało. I dwa dni później spotkaliśmy się przy głównej bramie na Powązkach. Pod pachą trzymał takie jakieś zawiniątko. W pierwszej chwili pomyślałam, że to czekoladki dla mnie. Ale kto daje czekoladki na cmentarzu? Zapytałam więc, co tak tam ściska pod pachą. A on, trochę się krygując, pokazał mi taki duży, plastikowy czarny worek, do którego wkłada się zwłoki – ofiary wypadków albo zbrodni. Spojrzał na mnie uważnie, ale ponieważ nie przestraszyłam się, to zaczął dalej mówić, że tak to sobie właśnie wyobraził. Ja miałam wejść do tego wora i tylko troszkę twarzy będzie mi widać. Tyle, żebym mogła palić papierosa. Wyjął też z torby wiązankę sztucznych kwiatów. Miałam z tymi kwiatami, w worku, kroczyć alejkami pomiędzy grobami i palić papierosa. Pomyślałam – dobrze, bo dym mi będzie zasłaniał twarz. A takiej twarzy to w „Playboyu" nie ma co pokazywać.

Ale to okazało się nie takie proste. W tym worku było tak strasznie duszno, że od tamtego czasu jak się gdzieś wybieram i muszę przebiec przez ulicę, to się zawsze lekko ubieram. Bo jakby mnie miał samochód przejechać – a może się to zdarzyć, bo jestem bardzo nieuważna – to nie chcę się znów spocić, jak mnie wrzucą do takiego worka. Spocić się po śmierci – to by było bardzo nieelegancko.

Szwendałam się więc tymi alejkami w worku na zwłoki, ze sztucznymi kwiatami i paląc papierosa, aż zauważyłam w pewnym momencie, że fotograf i jego asystent znieruchomieli. Potem pochowali aparaty i odwrócili się, udając, że nie mają ze mną nic wspólnego. I wtedy zobaczyłam, że w naszą stronę idzie gromadka dzieci z księdzem. Pewno fotograf bał się, że księdzu się nie spodoba jego pomysł na sesję. Ale ksiądz jak mnie zobaczył, to tylko się roześmiał. Fotograf odetchnął z ulgą, złapał aparat i zaczął dalej pstrykać. I tak moje zdjęcia ukazały się w „Playboyu”.

Puenta tego jest taka, że kiedyś do *Szkła kontaktowego* zadzwonił telewidz i pyta Artura Andrusa, czy wie, że Czubaszek miała w „Playboyu” zdjęcie na cmentarzu? Tomek Sianecki dowcipnie dodał, że rozkładówka to jednak nie była. Na co Andrus szybko odpowiedział: „Wie pan... W tym wieku rozkładówka to by się naprawdę źle kojarzyła”.

# Do czego wykorzystać satyryka

Janka Pietrzaka poznałam, kiedy zaczęłam chodzić na przedstawienia Kabaretu pod Egidą. Od razu bardzo mi się spodobał, bo to był strasznie fajny facet. Poza tym uważałam, że Kabaret pod Egidą był w tamtych czasach nie tylko najlepszy, ale w ogóle jedyny. Praktycznie za komuny nie miał żadnej konkurencji. Swój najlepszy czas miał wtedy, gdy Janek Pietrzak prowadził go razem z Jonaszem Koftą. To, co dodawał tam Kofta, było chyba najfajniejsze, bo on jednak był dość subtelnym poetą i szalenie zdolnym facetem. Potem pokłócili się z Pietrzakiem i Kofta odszedł. Niestety. Ale i tak Kabaret pod Egidą pozostawał absolutnie najlepszym kabaretem czasów PRL i na każdą premierę się chodziło.

Gdy odeszłam z radia do redakcji „Szpilek", to spotkaliśmy się tam z Jankiem i zaczęliśmy razem pracować. Ponieważ mieszkaliśmy niedaleko siebie i razem pracowaliśmy, więc właściwie chodziliśmy tymi samymi drogami. Lubiłam bardzo żonę Janka, a jego dzieci wołały za mną: „O! Marysia od Karolaka idzie!". Teraz już są dorosłe...

Janek był bardzo fajny, ale zawsze mnie traktował z przymrużeniem oka, bo chyba niespecjalnie lubi takie kobiety jak ja, troszkę niezaradne. Śmiał się ze mnie i nazywał mnie „Marysia złota szpilka". Bo mieszkaliśmy wtedy na Jazdowie w drewnianych domkach. I były w nich piece węglowe. Węgiel leżał na zewnątrz, a mój mąż w tamtym czasie głównie siedział na kontraktach za granicą, więc zimą musiałam sama chodzić z wiaderkiem po ten węgiel. Janek miał na to świetny widok, bo mieszkał w domku naprzeciwko. I patrzył, jak ja chodzę po ten węgiel po śniegu, w złotych szpilkach. Bo nie miałam żadnych butów na płaskim obcasie.

Poza tym zdarzało mu się wpadać do mnie, na przykład w Wigilię po południu. Wychodził z domu, bo jego żona przygotowywała przyjęcie na dwadzieścia osób. Do nich przychodziła matka, dzieci się kręciły, robiło się nerwowo – więc Janek wychodził i wpadał do mnie. Wiedział, że u mnie niewiele się robi do jedzenia, ale zżerała go ciekawość, więc pytał: „Co masz na wigilię?". Mówiłam prawdę: że w lodówce jest jakaś rybka, chyba dwa zamrożone filety. No i kupiłam torebkę barszczyku Krakus. To już cała wigilia. On łapał się za głowę i mówił całkiem poważnie i szczerze: „Gdybyś była moją żoną, tobym cię wypierdolił z domu".

Ale mówił to w taki sposób, że oboje się z tego śmialiśmy.

Jego żona, oprócz tego, że była inteligentna i świetnie zarabiała jako chemiczka w jakimś instytucie, to jak się zbliżały święta, zakasywała rękawy i na wigilię robiła sama pierogi, piekła ciasta, przygotowywała te wszystkie potrawy. Naprawdę się starała, ale i tak Janek ją po jakimś czasie rzucił.

O tym, że ja praktycznie niczego nie gotuję, Janek dobrze wiedział. Dlatego nie zdziwił się, gdy w sylwestra kupiłam pięć pieczonych kurczaków. Od razu się zainteresował: „Co ty, przyjęcie jakieś robisz?". „Wojtka nie ma – mówię mu – a te kurczaki kupiłam dla naszych kotów z Jazdowa". I to była prawda. Bo choć ja jestem psiara, to bezpańskie koty, których koło nas było mnóstwo, od czasu do czasu dokarmiałam. Janek, jak to usłyszał, to popatrzył na mnie jak na wariatkę. „Dla dzikich kotów? Kurczaki?!". Ja mówię: „Oczywiście. Jest sylwester, niech też sobie poświętują!". No i im te kurczaki wyniosłam.

Mieszkałam sama w tym domku i miało to czasem złe strony. Jakiś facet się zaczął włóczyć po naszym osiedlu i lubił stawać przy moim oknie i onanizować się. To było dość dla mnie nieprzyjemne. Aż wpadłam na pomysł i jak tylko onanista się pojawiał, to dzwoniłam po pomoc do Janka. On natychmiast wylatywał ze swojego domku z naprzeciwka i gonił z kijem tego wariata. Kilka razy go nieźle postraszył i wreszcie onanista się zniechęcił i zmienił rewir.

# Jak spędzić urlop w Kazimierzu i nic nie zobaczyć

**Z**acznijmy od tego, że ja prawie nigdzie nie ruszam się z Warszawy. A o żadnych wczasach, leżeniu na plaży czy wędrówkach po górach to w ogóle nie ma mowy. Jeżeli już naprawdę muszę wyjechać, to musi być blisko i na krótko. Najlepiej do Kazimierza nad Wisłą.

Pierwszy raz pojechałam tam trochę z przypadku, bo wiedziałam, że to jest niedaleko, a jakoś musiałam wykorzystać urlop. Miałam etat w radiu i przez parę lat w ogóle nie brałam wolnych dni. W pewnym momencie w pracy zrobił się o to szum, że trzeba wykorzystywać te urlopy. To wszyscy pozapisywali się na jakieś wycieczki i zaczęli wyjeżdżać za granicę.

To jeszcze były czasy przed tą przemianą 1989 roku, ale już ludzie trochę za granicę wyjeżdżali. Pamiętam, jak szefowa mnie wezwała do gabinetu i mówi: „Pani Mario, to jest jakieś dziwne, pani nie chce za granicę?". A potem wprost powiedziała, że to wygląda paskudnie, bo ja pewno jakimś szpiegiem jestem, skoro nie chcę wyjechać za granicę.

Puściłam to mimo uszu, ale inni też zaczęli pytać: „Dlaczego ta Czubaszek nie chce wyjechać gdzieś za granicę na wczasy?".

I jak ja im miałam wytłumaczyć, że mnie nigdy nie ciągnęło za granicę, skoro oni wszyscy marzyli, żeby stąd wyjechać? Jednak jakoś ten urlop wykorzystać wypadało, to musiałam gdzieś wreszcie pojechać. Najlepiej blisko od Warszawy.

I wtedy usłyszałam, że jest taki fajny Dom Prasy w Kazimierzu nad Wisłą. Pomyślałam, że to na tyle blisko, że jakoś wytrzymam, a w razie czego szybko wrócę. Pierwszy raz pojechałam tam z siostrą, która jest młodsza o dwanaście lat. Wzięłam ją niechętnie, bo bardzo jej nie lubię, ale wiedziałam, że ona zaraz się w kimś zakocha i będę miała ją z głowy. Co zresztą się sprawdziło.

Na miejscu okazało się, że w Kazimierzu, w Domu Prasy, jest naprawdę fajne towarzystwo i ten urlop da się całkiem ciekawie spędzić. Marek Piwowski – mój kolega ze studiów – wpadał tam zawsze z jakąś dobrą panienką. Było z kim pogadać i się napić. Sam budynek stał nieco na uboczu, za miastem, na wzgórzu. Na miejscu był barek, bardzo dobrze zaopatrzony. Można tam było siedzieć przez cały dzień. A potem jeszcze brało się butelkę do pokoju. I tak siedzieliśmy z całym towarzystwem w barku, a wieczorami wędrowaliśmy od pokoju do pokoju. Przez cały tydzień!

Bardzo mi się tam spodobało, więc jeszcze ze dwa razy tam pojechałam. A kiedy poznałam Karolaka, to postanowiłam go tam zabrać. To był jeszcze czas, gdy on sporo pił. W Warszawie ciągle koledzy go gdzieś na wódkę wyciągali. Potem miał kaca, a wszyscy go męczyli, żeby poszedł gdzieś coś zagrać, popracować. Więc gdy zaproponowałam, żebyśmy wyskoczyli na tydzień do Kazimierza, to się bardzo ucieszył. I pojechaliśmy. To był duży błąd, bo cały tydzień przesiedzieliśmy w tym barku w Domu Prasy. Przez ten czas może raz poszliśmy na rynek, żeby kupić sobie kogucika z ciasta. I to wszystko.

Więc prawda jest taka, że choć byłam w Kazimierzu kilka razy, to w ogóle tego miasta nie znam. Choć bardzo mi się tam podoba.

# Jak jeździć z fasonem samochodem do pracy

**M**ieszkałam wtedy na Jazdowie, koło Sejmu, a pracowałam na placu Trzech Krzyży w redakcji „Szpilek". Powiedzmy sobie to szczerze, to było pięć minut na piechotę. Ale miałam samochód i lubiłam nim jeździć, więc jeździłam do pracy. Tak samo zresztą jak mój ówczesny sąsiad Janek Pietrzak. Podjeżdżaliśmy więc samochodami pod „Szpilki". A tam był przed budynkiem taki duży, okrągły parking. Parę razy tam wjechałam rano, ale po południu miałam spory problem, żeby wyjechać. Bo na placu Trzech Krzyży były siedziby jakichś instytucji, ministerstw i jak myśmy – dość wcześnie – kończyli pracę i wychodzili, to te urzędasy jeszcze pracowały. Umiałam jeździć nieźle, ale manewry przy parkowaniu czy wyjeżdżaniu z zatłoczonego parkingu nie wchodziły w grę. Dlatego wpadłam na pomysł, by parkować gdzie indziej – na ulicy Konopnickiej, przy siedzibie YMCA. Może trzysta metrów od domu.

Tam zawsze, koło dziesiątej rano, były wolne miejsca do zaparkowania i w dwie minuty na piechotę szłam do redakcji „Szpilek".

Kiedyś po pracy poprosiłam Janka Pietrzaka, żeby mnie podwiózł do mojego samochodu. Spojrzał na mnie zdziwiony, bo przecież oboje mieszkaliśmy na Jazdowie, ale pyta: „A gdzie zaparkowałaś samochód?". No to mu powiedziałam. A on na to: „Jesteś chyba jakąś idiotką! Po to wyjeżdżasz samochodem spod domu, żeby go zaparkować na sąsiedniej ulicy?". Ale mnie podwiózł.

○

# Jak nie umieć nikomu odmawiać

To chyba wada, która najbardziej mi w życiu przeszkadza. Nie umiem odmawiać. Po prostu nie umiem, i już!

Raz zaproszono mnie do udziału w programie Szansa na sukces. Nie umiem wielu rzeczy: nie gotuję, nie piorę, nie sprzątam... Ale jeżeli jest coś, czegoś naprawdę nie umiem, to właśnie tym czymś jest śpiewanie. Oczywiście odmówiłam. Jednak moja odmowa nikogo nie zraziła. Przeciwnie, postanowiono mnie bardziej przycisnąć. Powiedziano mi, że to będzie taki żartobliwy program, a do udziału w nim zaproszono także Michała Ogórka i Edwarda Lutczyna. Obu panów bardzo lubię, to co miałam zrobić? Zgodziłam się, bo myślałam, że to będą tak zwane jaja. A potem okazało się, że każdy z nich – może nie jak Zbigniew Wodecki – ale jednak jako tako śpiewa.

A ja – wprost przeciwnie. Mój mąż mówi, że ludzie dzielą się na tych, którzy mają słuch absolutny, i na takich, którzy absolutnie słuchu nie mają. I ja z całkowitą pewnością należę do tych drugich.

Mam nadzieję, że tego programu nikt nie oglądał. Ja w każdym razie go nie widziałam. I nie zamierzam. Nigdy!

Kiedy indziej dyrektor Teatru Wielkiego poprosił mnie, żebym napisała słowo wstępne do programu. Wystawiano jakąś czeską operę. Ja w życiu w operze nie byłam! Raz rodzice mnie zaciągnęli do operetki i to był jakiś koszmar. Nie cierpię siedzenia godzinami w sali pełnej ludzi, gdzie nie można nawet zapalić papierosa, za to trzeba wysłuchiwać jakiegoś wycia i głośnej muzyki, na której się kompletnie nie znam. Ale jak dyrektor opery zadzwonił i bardzo mnie prosił o ten wstęp, to się zgodziłam, bo nie umiem odmawiać.

Dostałam tekst opery. Przejrzałam: to było coś o życiu i śmierci. A śmierć to mój ulubiony temat. Napisałam więc słowo wstępne. Podobno wydrukowali, ale nie wiem tego na pewno, bo oczywiście nie poszłam na premierę tej „mojej" opery.

I teraz ciągle dostaję zaproszenia na każdą nową premierę. Nigdy nie skorzystałam i nie skorzystam. Bo przecież nie znoszę tego wycia, a na muzyce się nie znam.

Czasem jednak są dobre skutki tego mojego braku asertywności. To tylko dzięki temu, że nie umiem odmawiać, zaczęłam pisać radiowe słuchowiska.

Bo ja nigdy nie spodziewałam się, że kiedykolwiek będę zarabiać na życie pisaniem. W szkole nie cierpiałam się uczyć. Lubiłam jako tako język polski, ale nigdy nie napisałam ani jednej linijki z potrzeby serca. Żadnych pamiętników czy wierszy. Nigdy, do dzisiaj, nie napisałam niczego dla przyjemności. Bo co to za przyjemność? Słowo honoru, nigdy nie napisałam czegoś z myślą, że może to się pokaże w telewizji, radiu czy też prześlę do prasy i ktoś to wydrukuje.

Owszem, piszę takie rzeczy, ale tylko wtedy, gdy mi to proponują. Ale sama z siebie – nigdy.

Autorką zostałam tylko dzięki jednej osobie – Jurkowi Dobrowolskiemu. On mnie do tego zmusił. Ja chciałam być prawdziwą dziennikarką. Taką poważną, która się zajmuje sprawami międzynarodowymi. Dlatego poszłam na Wydział Dziennikarski Uniwersytetu Warszawskiego. Marzyło mi się, że będę kiedyś korespondentką. Najlepiej zagraniczną. Ale ponieważ nie potrafiłam sobie niczego załatwić i w ogóle nie znałam właściwych ludzi, od których wszystko w tamtych czasach zależało, to tego Wydziału Dziennikarskiego nie skończyłam. Bo mnie tak strasznie znudził. Teraz pewnie Wydział Dziennikarski jest fajny, wtedy był okropny i uczyło się studentów właściwie tylko o komunizmie. Straszna nuda.

Zaczęłam wtedy pracować jako „przynieś, podaj, pozamiataj" w radiowym *Kabareciku Reklamowym*. Dziś dział reklamy to całkiem poważna rzecz, ale w tamtych czasach reklamowanie czegokolwiek było jakimś absurdem, bo przecież i tak nic nie można było kupić. Dlatego reklamą w radiu zajmowali się satyrycy.

Moim zadaniem było wprowadzanie poprawek do tekstów innych autorów.

Jurek mnie polubił. Wtedy byłam młoda i podobno ładna. Miałam też szczęście do ludzi. Któregoś razu Jurek mi powiedział: „Napisz coś. Co tak będziesz siedziała i tylko poprawki robiła".

Odpowiedziałam mu natychmiast: „Słuchaj, ja w ogóle nie potrafię pisać takich rzeczy".

A on na to: „Usiądź, to napiszesz!".

No to usiadłam i napisałam, ponieważ już wtedy nie potrafiłam odmawiać i się bałam rozczarować swojego szefa. On był parę dobrych lat starszy i to była postać w Warszawie bardzo znana. A ja byłam kompletnie zielona. Nikt mnie nie znał. Jak Jurek kazał, to ze strachu coś napisałam. On to wziął i nie czytając, kazał mi skrócić o połowę. A potem zdobył świetnych aktorów: Irenę Kwiatkowską i Wojciecha Pokorę. Sam zabrał się do reżyserii i od tamtej pory wszystko, co robiłam w radiu, reżyserował Jurek Dobrowolski. A ja zostałam autorką słuchowisk. Ze strachu i dlatego, że nie potrafiłam powiedzieć „nie".

# Jak się zakochać w alkoholiku

**Z** nielubiłam wódkę, kiedy poznałam Karolaka. Nie od razu zorientowałam się, że on jest alkoholikiem, bo przedtem bezpośrednio nie miałam z tym problemem do czynienia. Choć pracowałam wyłącznie z kolegami, wśród których było sporo alkoholików – Adam Kreczmar, Jonasz Kofta czy Jacek Janczarski, to byli ludzie na poziomie. Imponowali mi. Chodziliśmy razem do SPATiF-u. Sporo się piło. Ale wtedy wszyscy pili, więc to nie był jakiś ewenement. Ja też piłam, jednak nawet w tamtych czasach wódki czystej nigdy nie wzięłam do ust. Zawsze z czymś ją mieszałam. Najczęściej z takim wstrętnym sokiem pomidorowym. A jak nie było, to choćby z paskudną oranżadą.

Od jakichś dziesięciu lat jedyny trunek, jaki uznaję, to campari – taki czerwony likier, który piję pół na pół z wodą i lodem. Znajoma, która mieszka we Włoszech, mówi, że tam dzieci w taki sposób to piją, gdy rodzina idzie poopalać się na plażę. Tam się to traktuje jak sok. I campari czasem kupuję, zwłaszcza w lecie. Jak już muszę pójść na jakąś imprezę do lokalu, to wtedy zawsze pytam: „Czy będzie tam campari?". Małgorzata Domagalik, gdy mnie raz do roku zaprasza na rozdanie nagród magazynu „Pani", już wie, że musi być campari. Bo jak nie ma, to nie idę.

Nigdy nie byłam abstynentką, ale przez Karolaka jakiś czas w ogóle nie piłam alkoholu. Na sam widok wódki szlag mnie trafiał.

Najpierw, naiwna, próbowałam męża sama uratować. Gdy miał kace giganty, to latałam mu po piwo. Gdy mówił, że już nigdy nie sięgnie po kieliszek, wierzyłam.

Wydawało mi się, nie wiem dlaczego, że musi pić: bo jest jazzmanem, a wszyscy jazzmani piją.

Dziś są na szczęście inne czasy. Muzycy więcej nagrywają w studiu, a tu się płaci za godzinę. Nie ma takich historii, jak kiedyś były. Nikt nawalony nie może przyjść do pracy.

Wtedy koledzy muzycy wściekali się na Karolaka i przeklinali go, że tak chleje i zawala robotę, ale jakoś to przechodziło. Choć było coraz gorzej. Oni mieli umówione grania, a on leżał nieprzytomny. Miał migotanie przedsionków. Odwoziłam go do szpitala, bo serce mu wysiadało. Trzeba było odtruwać mu organizm. Po prostu koszmar! Tragedia! Saksofonista Tomek Szukalski, dziś już nieżyjący, a przez wiele lat przyjaciel mojego męża, wrzeszczał na niego: „Kurwa, zawiozę cię na Kolską! Tam zrobią ci zimny prysznic, to otrzeźwiejesz!". Wyrzuciłam wtedy Szukalskiego za drzwi, bo sama widziałam, jak Karolakowi polewał wódkę. Nie lubiłam go, bo to był właśnie taki facet. Kiedyś przyszedł po tygodniu, po takiej strasznej wpadce, kiedy tu lekarz musiał przychodzić, odtruwać męża. A Szukalski miał zawsze ze sobą taką małą buteleczkę. On wszedł i ja mówię: „Tomek, błagam cię, wiesz, Wojtek teraz trzeci dzień nie pije. Oczywiście, że będzie jeszcze pił, ale teraz dopiero co go odtruli. Nie zrób mu świństwa". I poszłam zrobić kawę. Wracam po minucie i słyszę, jak on mówi do Karolaka: „Chodź, po dziobie wypijesz!". I już Wojtkowi podaje swoją flaszkę. O nieżyjących powinno się dobrze mówić, ale ja nie uznaję takich zwyczajów. Uważam, że to był świetny muzyk, ale skurwysyn.

Zresztą nie tylko on. Gdy Karolak przestał pić, to musiał bardzo uważać, bo podczas koncertów, gdy otwierał sobie colę i pił, to gdy nie widział, do butelki dolewali mu wódki. Nie wiem po co. Dla zgrywy? Ze złości, że już nie pije? Gdybym wtedy któregoś złapała na tym, tobym zatłukła.

Ale żeby Karolak przestał pić, musiało się stać coś, co by nim wstrząsnęło.

Wyprowadziłam się z domu.

Musiałam się na to zdecydować, bo wiedziałam, że jeśli tego nie zrobię, to wkrótce złapię nóż i go zabiję. Ja nie jestem sentymentalna. Po prostu nie widziałam już żadnego innego sposobu. Jeszcze raz zobaczyłabym go nachlanego i wtedy bym go zadźgała. Nie zrobiłam tego – nie dlatego, że było mi go szkoda, tylko wiedziałam, że jeśli go zadźgam, to pójdę do więzienia. A tego bardzo nie chciałam.

Myślałam, że jak wróci do domu i mnie nie zastanie, to się zacznie nad sobą zastanawiać. Ale niekoniecznie... Po pierwsze, nim wytrzeźwiał, nim się zorientował, że mnie nie ma, to trochę trwało. Zwłaszcza że jeszcze ciągle pił. Przyszedł wtedy do niego jego przyjaciel, Andrzej Dąbrowski. Podobno wylał mu wódkę i do butelki wlał wodę. Karolak dostał szału, jak się zorientował. Potem za jakiś czas się spotkaliśmy, nie wiedział, gdzie ja mieszkam. A mógłby się domyślić, bo przeprowadziłam się do naszych przyjaciół – Fedorowiczów. Powiedziałam mu, że wnoszę sprawę o rozwód, bo dłużej tego nie wytrzymam. Albo rozwód, albo więzienie, bo go normalnie zabiję.

A jeszcze jako warunek mojego powrotu do domu powiedziałam, że musi sobie wszyć esperal. On nie wierzył, że jestem aż taka zdeterminowana, ale zrozumiał, że się nie cofnę, po rozmowie z Lechem Falandyszem. Bardzo się z nim oboje lubiliśmy. Wiedziałam, że Falandysz też miał mocno alkoholową przeszłość. I on powiedział Karolakowi, że gdy on się zdecydował, że już na pewno nie będzie pić, to żona zażądała, żeby sobie wszył jeszcze ten esperal. Powiedział mu: „Wiesz, kobieta tak szybko nie uwierzy w to, że mężczyzna się zmienił, a tu będzie miała coś w rodzaju gwarancji".

I udało się. Karolak już dwadzieścia lat nie pije. Chociaż jeszcze przez parę lat nie wierzyłam w to, że mu się udało, i byłam gotowa w razie czego odejść.

Już nie zabić, ale po prostu odejść, skończyć to małżeństwo.

Czasem zastanawiałam się, czy Karolak rzeczywiście przestał pić właśnie dla mnie. Kiedyś tak mi się wydawało. Ale teraz myślę, że to zasługa naszego znajomego lekarza, który kiedyś był dyrektorem szpitala w Tworkach, gdzie leczono uzależnionych od alkoholu. Zbadał mojego męża i powiedział mu, że albo przestanie pić, albo się zapije na śmierć, bo to był taki zaawansowany stopień alkoholizmu. I on się wystraszył, że rzeczywiście umrze. A mój mąż, w przeciwieństwie do mnie, bardzo się śmierci boi. I wtedy przestał pić.

# Jak napisać książkę metodą dzięcioła

**B**ardzo długo broniłam się przed pisaniem na komputerze, choć miałam go w domu stosunkowo wcześnie. Mąż kupował komputery, natychmiast jak się pokazały. Pierwszy to mu nawet jakiś pan inżynier składał, bo w sklepach jeszcze nie było. A potem kupił komputer dla mnie i namawiał, żebym przestała pisać na maszynie, bo to przecież wygodniej.

Na maszynie pisałam od dwudziestego roku życia, a mam dziś siedemdziesiąt pięć. Czyli piszę już pięćdziesiąt pięć lat i przez ten czas sporo zrobiłam. Zastanawiam się, jak mi się to udało, bo przez ponad pół wieku nie potrafiłam nauczyć się pisać inaczej, jak metodą dzięcioła: stukam w klawisze jednym palcem. Nigdy nie opanowałam sztuki pisania bez patrzenia na klawiaturę. Moja jedyna radość przy pisaniu – to jak mi się uda znaleźć odpowiednią literkę, bo za każdym razem muszę klawiszy szukać od nowa. Oczywiście nie zawsze trafiam w tę odpowiednią literkę. Ale jak mi się uda, to się bardzo cieszę.

Pokochałam komputer, gdy się okazało, że mogę skasować źle wstukane słowo i nie trzeba zaczynać wszystkiego od początku. Ale te komputery mają, niestety, zwyczaj się psuć. Nie są na mnie odporne.

Mąż ma chyba z pięć komputerów, bo on niczego nie wyrzuca, tylko dokupuje nowe rzeczy. Ale wszystkie wyglądają schludnie. Choć też pali, to zawsze ma przy sobie popielniczkę. A ja, jak piszę, to palę, a jak palę, to rozrzucam wszędzie popiół. Kiedyś spadł mi papieros na klawiaturę i spalił pół klawisza. Trzeba było pojechać z komputerem do serwisu. Fachowiec otworzył ten komputer i jęknął: „O, matko! Wie pani, że widziałem już w życiu wiele, ale pierwszy raz coś takiego!".

Nie spodziewał się, że to w ogóle jest możliwe. Pod klawiaturą było pełno psiej sierści, bo jak pisałam, to piesek zawsze przy mnie siedział. No i oczywiście w środku była cała masa popiołu.

Facet kręcił głową z niedowierzaniem i nagle mówi: „No wie pani... pani jest kobietą i...".

Ja na to: „No, no... że pan to jeszcze zauważył, to bardzo miło, bo to się już nie rzuca w oczy".

A on dalej: „Ale czegoś tak brudnego, zapaskudzonego jak pani komputer to nie widziałem".

Z komputerami się jakoś zaprzyjaźniłam, choć od tamtego czasu wolę kupować nowe niż czyścić stare. Ale technicznie nie jest mi łatwo. Na przykład nie piszę SMS-ów. Używam telefonu komórkowego, ale tylko do rozmów. Niczego sobie tam nie zapisuję. Mejla też, choć powinnam sprawdzać codziennie, to bywa, że zapominam i w ogóle nie włączam. Przypominam sobie po tygodniu i jak przeglądam listy, to nie mogę się połapać w tych wszystkich reklamach i dziwnych wiadomościach od nie wiadomo kogo, że tylko przerzucam wzrokiem, co tam jest, i zawsze boję się, że może mi coś umknąć.

Tego, co piszę, nigdy nie czytam. A zwłaszcza bloga. Chyba przez pięć lat prowadziłam blog dla Wirtualnej Polski. I ani razu nie weszłam na tę stronę. Artur Andrus, który też tam pisał, próbował mi nawet kiedyś pokazać to, co napisałam. I tam było mnóstwo komentarzy, podobno... Ja w ogóle nie miałam ciekawości takiej, żeby to przeczytać. Co mnie obchodzi, co ludzie myślą o tym, co ja piszę?

Grunt, że musiałam co drugi dzień wysłać taki felieton. Miałam pełną swobodę tego, o czym chcę pisać. Więc oczywiście pisałam głównie o polityce. To mnie najbardziej interesuje. I to były takie głupotki, krótkie teksty. Jedyny problem, że co drugi dzień rano trzeba było coś napisać. Wbrew pozorom to, że dali mi pełną swobodę tego, o czym mogę pisać, wcale nie było jakimś szalonym ułatwieniem. Lubię, jak mam jakieś wyznaczone granice. A tu? Wiedziałam, że na pewno nie będę pisać o swoim życiu, bo to mnie po prostu nie interesowało.

Blog to też było wyzwanie, bo dla mnie strasznie męczące jest pisanie do druku. Ja się przyzwyczaiłam, że piszę językiem mówionym dla aktorów. To lubiłam. A tak? No i jak tu wystukiwać przez pięć lat felietony jednym palcem? Ale jakoś dałam radę.

# Jak stracić wiarę w Boga

Ja w ogóle nie wierzę w Boga. Zdałam sobie z tego sprawę, chyba jak miałam jakieś siedem czy osiem lat.

Może gdybym miała więcej do czynienia z dziećmi, toby mi to dłużej zajęło, ale ja nigdy nie lubiłam dzieci, a nawet w ogóle ludzi nie lubiłam. Moja mama się mną nie zajmowała, bo pracowała. Tata też pracował. No to wychowywały mnie ukochana babcia i ciocia dewotka.

Babcia prawie w ogóle do kościoła nie chodziła, tak jak moi rodzice. Ojciec nawet chyba był niewierzący, ale o tym się nigdy w domu nie mówiło. Ale ciocia... ciocia była prawdziwą dewotką i codziennie ganiała się modlić i klęczeć pod ołtarzem. To była jakaś tragiczna historia. Słyszałam opowieści, że ciocia miała kiedyś jakiegoś narzeczonego, który umarł czy nawet zginął i ona w ten sposób została starą panną. O to nie było w tamtych czasach trudno. Urodziłam się na trzy tygodnie przed wybuchem wojny, więc choć ja sama zbyt wiele z tego okresu nie pamiętam, to przecież słyszałam: tu kogoś zabili, tam znajomy stracił żonę czy dziecko... Takie były czasy.

W każdym razie ciocia chodziła do kościoła i próbowała mnie też do tego przekonać. Nie szło jej dobrze, bo ja nie miałam na to ochoty. Raz mnie na siłę zaprowadziła i wtedy zbuntowałam się i powiedziałam jej, że to jest jakiś cyrk. Ci księża poubierani w suknie to przecież coś okropnego! A potem zaczęłam z ciocią dyskutować. Jeśli Bóg jest dobry, jak tłumaczyła mi ciocia, to dlaczego pozwala na to całe zło? Dlaczego sześcioletni synek naszych sąsiadów zachorował i umarł? Ja się z nim wprawdzie nie kolegowałam, ale mieszkał przecież koło nas, na tym samym piętrze, to wiedziałam, co się dzieje. Widziałam rozpacz jego rodziców. Ja się tym za bardzo nie przejęłam, ale jeśli Bóg istniał, to czemu pozwolił na to, by niewinne małe dziecko umarło? Co ono mu zrobiło? Jeśli na to rzeczywiście Bóg pozwolił i nie przejął się błaganiami naszych sąsiadów, to na pewno nie był dobry. A jeśli chciałby im pomóc, ale nie potrafił, to nie jest taki wszechmocny, jak się cioci wydawało. A najprostsze rozwiązanie jest takie, że Bóg nic nie robi, gdy na świecie dzieje się tyle zła, bo Boga nie ma. I już. Ciocia nie wiedziała, co mi odpowiedzieć, bo byłam dla niej zbyt inteligentnym dzieckiem.

Ale potem się ucieszyła, bo jej powiedziałam, że chcę jednak na te msze w niedzielę chodzić.

Ciocia już myślała, że się nawróciłam, bo przez dwa tygodnie pilnie chodziłam z nią do kościoła.

A potem jej powiedziałam, że już tam więcej moja noga nie postanie.

Dlaczego? – zmartwiła się ciocia.

I wtedy jej powiedziałam prawdę. Chodziłam do kościoła, bo bardzo mi się spodobał taki chłopak, który służył do mszy. Miał pewno z osiem lat, tak jak i ja. Ale mimo moich wysiłków w ogóle nie zwracał na mnie uwagi, więc się zniechęciłam.

I tak się skończyła moja przygoda z Kościołem.

# Jak zwariować z miłości

N igdy nie lubiłam dzieci, za to zawsze uwielbiałam psy. Miałam taką swoją wymarzoną rasę: owczarka niemieckiego długowłosego. Zakochałam się w tych pieskach, oglądając „Przygody psa Cywila" Krzysztofa Szmagiera. Poznałam zresztą tego reżysera i powiedział mi, że ten piesek z serialu naprawdę nazywał się Bej.

Oczywiście wszystkie psy kocham. Na ogół brałam najbrzydsze ze schroniska, bo wiedziałam, że one mają najmniej szans, że ktoś je przygarnie. Natomiast moim wymarzonym psem jest właśnie owczarek. Był, teraz niedawno, taki film z tym pieskiem. Tak jak nie lubię seriali, to „Komisarza Alexa" oglądałam, gdy tylko mogłam. Mój wymarzony owczarek jest właśnie taki puchaty, z ogonem prawie do ziemi, na ogół czarny, podpalany.

Tak właśnie wyglądała moja ukochana suka, która trafiła do mnie w latach osiemdziesiątych. Jakaś dziewczyna dostała ją od swojego chłopaka, a potem postanowiła wyjechać za granicę. Dostała paszport i niemal z dnia na dzień podjęła decyzję, że pojedzie bez pieska. Uważała, że ta roczna suczka jest tak piękna, że jak ją zostawi na ulicy, to ktoś ją na pewno weźmie. Dowiedziałam się o tym od znajomych i pobiegłam natychmiast. I to był w zasadzie jedyny rasowy pies, jakiego miałam, oprócz pierwszego psa, którego mi rodzice kupili. Ta piękna rasowa suka była przez nas najbardziej kochana. Kiedy umierała i trzeba było jej zrobić zastrzyk usypiający, to mąż siedział i płakał w swoim pokoju. Ja musiałam być przy tym. Trzymałam ją, gdy umierała. Bo uważam, że właśnie dlatego, że się kocha psa, to jeżeli się okazuje, że nie ma dla niego ratunku, to trzeba go uśpić, niestety. Pies nie może się męczyć. Oczywiście trzeba robić wszystko, żeby pomóc. Jeśli nasza sunia, która jeszcze niedawno chodziła, potem w ogóle nie mogła wstać, to – mimo że była olbrzymia – z mężem próbowaliśmy na kocu ją znosić z czwartego piętra. Bo ona się do windy nie mieściła. Lekarz jednak powiedział, że to nie jest jedynie chwilowa niedyspozycja, tylko będzie coraz gorzej. Że zacznie ją boleć, bo ona w domu by się nie załatwiła. Pies dziesięcioletni, wychowywany w mieszkaniu, będzie piszczeć, ale siusiu na dywanie nie zrobi. Powiedziałam: „Pieluszki kupimy, pampersy", ale oczywiście nic to nie dało. Trzeba jej więc było oszczędzić cierpień.

Po śmierci jednego pieska zawsze chcę trochę odczekać. Ale czasem, dosłownie tydzień później, zupełnie przypadkowo wyjdę gdzieś i się dowiem, że jakiś biedak potrzebuje pomocy. I znów mam pieska.

Ale teraz pierwszy raz świadomie nie zdecydowałam się, by przygarnąć kolejnego psa. Bo zwierzę traktuję poważnie, a moje życie się zmieniło. Bardzo często wyjeżdżam. Nie ma mnie w domu przez kilka dni. Mąż też wyjeżdża w związku z pracą lub nocą pracuje, a w dzień śpi. Pies tego przecież nie zrozumie.

Można oczywiście zamówić za pieniądze kogoś, kto przyjdzie, wyprowadzi pieska, pogłaszcze. Ale wiem od zaprzyjaźnionych lekarzy weterynarzy, że jeśli przychodzi obcy człowiek i na piętnaście minut wyjdzie z psem na spacer, to dla zwierzaka nie jest dobre. Z psem trzeba po prostu być.

Miałam takiego dobrego opiekuna dla swojego ostatniego psa. To był starszy pan, zaprzyjaźniony z naszą rodziną od lat. Ja oczywiście coś mu płaciłam, ale on w ogóle nie pytał o pieniądze. Któregoś razu wracam do domu i po kilku minutach wchodzi pan Bolek. Popatrzyłam na niego zdziwiona: „Co pan tutaj robi?". A on tłumaczy się: „Bo ja słyszałem, że pani wychodzi dzisiaj na nagranie, a mąż akurat wyjechał... To co Supronik będzie sam siedzieć? To ja z Supronikiem wyjdę na spacer".

Podobno ktoś go kiedyś spytał: „Masz czterdziestoletnią córkę, singielkę, kiedy ona wreszcie wyjdzie za mąż, a ty będziesz miał wnuka?".

A on na to: „A po co mi wnuk? Ja mam Suprona".

On po prostu kochał tego psa. Czesał go, głaskał. Czasem wpadał tylko po to, żeby z Supronikiem porozmawiać. Ostatnie dwa lata, kiedy ja tak zaczęłam bardzo często jeździć, to pan Bolek prawie u nas zamieszkał.

Gdy nasz pies padł, pan Bolek z dnia na dzień się postarzał. Już wcześniej miał początki choroby Alzheimera, ale teraz mu się znacznie pogorszyło. Nie ma już z nim kontaktu.

Dlatego nie chcę już mieć psa, bo nie mogłabym mu poświęcić tyle czasu i opieki, ile powinnam, a nie będę już wciągać w opiekę innych osób. Gdybym miała kota, to co innego. Kota się nie wyprowadza. Wystarczy jedzenie mu dać, zmienić piaseczek. I tyle. Natomiast pies byłby nieszczęśliwy, gdybym nie wyszła z nim codziennie na długi spacer. Płacę więc na różne schroniska, fundacje, natomiast – choć bardzo nad tym boleję, bo uwielbiam te zwierzaki – to już pieska więcej mieć nie będę.

# Jak pożyczać pieniądze, żeby stracić źródełko

Pieniądze nigdy się mnie nie trzymały. Szybko zamieszkałam sama i musiałam płacić rachunki. To, co zarabiałam w radiu, wystarczało mi w zasadzie tylko na papierosy i jedzenie dla psów. A gdy nauczyłam się grać w pokera, to zaczęłam przegrywać nawet swoje przyszłe apanaże, a że byłam zawsze bardzo honorowa i długi karciane płaciłam skrupulatnie, więc bywało, że nie miałam z czego żyć. Na szczęście osobą, do której mogłam zawsze zadzwonić z prośbą o pożyczkę, był Marcin Wolski.

Młodszy ode mnie o parę lat, był moim przeciwieństwem. Z wykształcenia jest historykiem. Ale ja historii nie cierpię, więc na wszelki wypadek nigdy nie słuchałam tego, co pisał dla Programu Trzeciego. Starsi koledzy: Kreczmar, Janczarski, Kofta czy Stanisławski, traktowali go trochę z góry, a on się z nimi nie bratał. Ale ja go lubiłam, bo mnie bawił. On nie chodził, tylko truchtał. Pisał błyskawicznie. Wystarczyło rzucić jakiś temat, on przebiegł się dwa razy po korytarzu i już miał gotowy wiersz. Jako jedyny z naszej redakcji zapisał się do PZPR-u. A potem demonstracyjnie rzucił legitymacją i po chwili był już w Solidarności. Biegał po radiu z opaską na ramieniu i organizował strajki. Choć to zupełnie nie moja bajka, to lubiłam go, bo ja lubię inteligentnych mężczyzn z poczuciem humoru. I on też chyba mnie lubił, bo zapraszał mnie do domu na imieniny. Był zdolny i miał jeszcze jedną niezaprzeczalną zaletę – trzymały się go pieniądze.

Pochodził z bogatego domu, ale sam był bardzo oszczędny i wiedział, co się powinno z pieniędzmi robić. No i, niestety, pożyczając mi, zawsze musiał palnąć jakieś kazanie.

– Słuchaj, Marysiu, ja z każdych zarobionych stu złotych dwadzieścia odłożę. A ty szastasz groszem!

To prawda. Ja z każdych zarobionych stu złotych wydawałam sto dwadzieścia.

– Powinniście z Karolakiem wynająć swoje mieszkanie i przeprowadzić się do matki – tłumaczył. – Przemęczyć się trochę, ale zarobić.

Oczywiście miał rację. Ale ja nie zamierzałam go posłuchać.

Jakiś czas potem znów mi zabrakło pieniędzy i zadzwoniłam do Marcina. Nagrywał akurat w gmachu telewizji na Woronicza program ZSYP [Zjednoczenie Satyryków Y Politykierów – audycja w Programie Pierwszym Polskiego Radia – przyp. red.].

– Możesz mi… pięćset złotych…

– Mogę.

– Będę u ciebie za pół godziny.

Złapałam taksówkę i pojechałam na Woronicza. Pobiegłam do Marcina. On miał akurat przerwę w nagraniu, więc chciał mnie wyciągnąć na pogawędkę do bufetu.

– Nie mogę, Marcin – powiedziałam. – Trochę się spieszę, bo taksówka na mnie czeka na dole i licznik bije...

Zdębiał. A potem złapał się za głowę.

– Marysiu! Żeby pożyczyć ode mnie pięćset złotych, ty przyjeżdżasz taksówką? I jeszcze w dodatku każesz jej na siebie czekać? Przecież ty nigdy nie będziesz miała pieniędzy!

Starałam się mu wytłumaczyć, że właśnie po to od niego pożyczam, żeby mieć na taksówkę, choć pewno rozsądniej byłoby wsiąść w tramwaj – z mojego domu do telewizji na Woronicza nie jest daleko.

To był ostatni raz, gdy pożyczyłam pieniądze od Marcina Wolskiego.

Teraz pożyczam od Artura Andrusa, który kazań mi nie prawi. I dobrze.

# Jak dbać o budżet telewizji kosztem własnej kieszeni

— Ala! Ala!

Obracam się i widzę jakąś kobietę, która macha do mnie radośnie. Nie mam pamięci do twarzy, imion, nazwisk ani dat. Właściwie to do niczego nie mam pamięci, więc nic dziwnego, że baby nie poznaję. Woła mnie po imieniu, którego używali moi znajomi sprzed lat. Może to jakaś koleżanka ze szkoły? Nie mam pojęcia!

— Ala! Co włączę telewizor, to ty. W radiu – ty. W księgarni – ty. Chyba nie wiesz, co robić z pieniędzmi!

— Jakimi pieniędzmi? – pytam żywo zainteresowana.

— No tymi, które zarabiasz...

A ja akurat wracam ze spotkania w banku, gdzie usłyszałam:

– Niestety! Nie możemy pani dać trzech tysięcy złotych kredytu, bo nie ma pani etatu ani odpowiednich zarobków.

Więc mogłam potraktować zazdrość „koleżanki" jedynie w kategoriach żartobliwych. Ale w sumie trudno się dziwić. Ja też przecież czytam tabloidy, a tam piszą czarno na białym, że taka na przykład Edyta Górniak za udział w programie telewizyjnym dostaje dwieście tysięcy złotych. Nic więc dziwnego, że są tacy, którzy myślą: „Cóż, ta Czubaszek to Górniak nie jest, ale jeśli występuje w telewizji, to jakieś dwadzieścia tysięcy ma za to na sto procent!".

Na sto procent to ja za udział w większości programów często nie dostaję ani grosza. A nawet do tego dopłacam, bo żeby dojechać rano na nagranie do telewizji śniadaniowej, to biorę taksówkę i sama za nią płacę. Kiedyś Alicja Resich-Modlińska, szefowa *Pytania na śniadanie* w TVP2, zdziwiła się:

– To my ci nie zwracamy za taksówkę? Następnym razem weź rachunek i oddaj kierownikowi produkcji.

Więc wzięłam rachunek i z tym świstkiem w dłoni poszłam do dziewczyny, która była tego dnia kierownikiem produkcji. Spojrzała na mnie zdziwiona. Ja zastygłam na chwilę z tym rachunkiem w dłoni. A potem schowałam go do kieszeni. Miałabym wykłócać się o piętnaście, dwadzieścia złotych?

Z Alicją Resich-Modlińską w tej Dwójce prowadziłam cotygodniowy przegląd plotkarski. To znaczy miało być sporadycznie, a okazało się, że zapraszają mnie co tydzień. Strasznie to było absorbujące, bo w telewizji należało być co najmniej godzinę przed wejściem na antenę. Jechałam tam taksówką, potem marnowałam sporo czasu, czekając, aż mnie upudrują. Wcześniej musiałam się przygotować, kupić „Fakt", „Super Express", „Galę". Przeczytać. Wyrobić sobie jakieś zdanie o ciąży pani Kasi Cichopek czy innych tym podobnych rzeczach, które tak naprawdę w ogóle mnie nie interesują. W końcu powiedziałam Alicji:

– Wiesz, strasznie cię przepraszam, ale ja już nie daję rady co tydzień tu do ciebie przyjeżdżać. I chyba nie powinnam, bo zaczęłam współpracować ze *Szkłem kontaktowym* w TVN24. I wolę jeździć do nich, bo tematyka bardziej mnie interesuje. Te nasze ploteczki z show-biznesu nudzą mnie koszmarnie, a ja wolę obejrzeć jakąś rozmowę polityków, która też jest często durna, ale to mnie jeszcze wkurza, natomiast tamto mnie już tylko nudzi. Poza tym oni mi płacą, a ja tu nie dostaję ani grosza.

Alicja otworzyła szeroko oczy.

– To ty u nas nie dostajesz żadnych pieniędzy?

No nie upominałam się, to nie płacili. A teraz i tak już przepadło.

W *Szkle kontaktowym* dostawaliśmy za program niewielkie pieniądze. Dwa lata temu jeden ze stałych gości postanowił się zbuntować. Dzwonił do nas wszystkich i przekonywał:

– Słuchajcie, my za mało dostajemy, a program stał się przecież bardzo popularny...

Próbował namówić mnie i Artura Andrusa, żebyśmy razem z nim poszli do szefa i zażądali większych pieniędzy. Ale my nie jesteśmy z tych, co walczą, więc sam się zawziął i zorganizował spotkanie.

Bardzo ważna osoba z TVN-u zaprosiła nas do bardzo dobrej restauracji przy ulicy Czerniakowskiej w Warszawie. Byłam jedyną kobietą w męskim gronie. Najpierw rozmawialiśmy o wszystkim i o niczym. Moi koledzy byli ciekawi tylko tego, kiedy on wreszcie zacznie mówić na temat finansów. No i przed deserem ważna osoba wreszcie powiedziała:

– Słuchajcie, ja wiem, że to, co dostajecie, to jest bardzo mało, ale mamy listopad i do końca tego roku zostało już niewiele czasu, a wszystkie budżety mamy zaplanowane i więcej pieniędzy nie ma. Ale obiecuję wam, że na początku przyszłego roku wrócimy do tej rozmowy, bo naprawdę trzeba to zmienić.

Oczywiście ten „początek przyszłego roku" nigdy nie nadszedł. A zresztą nikt się już o podwyżki nie upomina, bo lubimy ten program, przyzwyczailiśmy się do niego, a prawie każdy nauczył się zarabiać gdzie indziej. A ja i tym razem nie nauczyłam się wykłócać o pieniądze.

# Po co zarabiać pieniądze

Razem z Adamem Kreczmarem i Jackiem Janczarskim przeszliśmy z Trójki do „Szpilek", ale szybko zorientowałam się, że praca w gazecie to był z mojej strony duży błąd. Wcześniej praktycznie do druku nie pisałam. Nigdy nie lubiłam pisać, ale to, co czyniło moją pracę bardziej strawną, to to, że w radiu nie musiałam pisać okrągłymi zdaniami z kropeczkami na końcu. Pracując nad słuchowiskiem, mogłam stawiać poszarpane zdania z języka mówionego. A teraz tak się nie dało. Odrzucało mnie od takiego „ładnego" pisania. Ale co mogłam zrobić?

Siedziałam więc w kawiarni zamiast w redakcji i pisałam tylko tyle, ile musiałam, bo byłam na etacie. Zarabiałam bardzo mało, bo etat był bardzo niski, a większość pieniędzy autorzy dostawali jako honoraria za teksty, a ja niemal nic nie publikowałam, bo nie lubiłam pisać do gazety. Nigdy też nie czytałam tego, co napisałam, bo jeśli nie miałam żadnej przyjemności z pisania, to po co się jeszcze dodatkowo męczyć czytaniem? To by była dla mnie jakaś katorga, zupełnie niepotrzebna męka. Bzdura. Podziwiam ludzi, którzy potrafią czytać swoje teksty. Ja nie przeczytałam nawet żadnej swojej książki po wydaniu. Bo co by mnie tam mogło zainteresować? No nic!

Chociaż po przejściu do „Szpilek" akurat ogłosili konkurs wśród czytelników na najbardziej lubianego autora i muszę się pochwalić, że zajęłam drugie miejsce zaraz po Jerzym Urbanie. Urban chyba naprawdę był najlepszym autorem wtedy w „Szpilkach". Pisał pod pseudonimem „Kibic" tak ostre teksty, że to właśnie on miał najczęściej problemy z cenzurą.

Ostatnio często to powtarzam młodym ludziom, bo mało kto już pamięta, że Jerzy Urban to przede wszystkim znakomity dziennikarz, który świetnie pisał. Dziś mówienie dobrze o Urbanie nie jest w dobrym tonie, ale ja o to nie dbam. Szalenie lubię ludzi, którzy mi czymś imponują. A Urban mi imponował swoją inteligencją. Był świetny w swoim zawodzie. Ale wtedy go osobiście nie poznałam, bo do redakcji „Szpilek" nie przychodził, tylko swoje teksty przysyłał pocztą.

W tamtym czasie wydałam swoją pierwszą książkę. Miała tytuł Na wyspach Hula-Gula. Nie mam ani jednego egzemplarza, bo Czytelnik wydał ją w tak małym nakładzie, że nawet nie zobaczyłam jej, gdy przyszłam zaproszona na stoisko na Targach Książki. Podobno rano jeszcze była, a potem zostały już tylko książki Marcina Wolskiego. I ja tam właśnie przez jakąś godzinę siedziałam i sprzedawałam książki Marcina. Pamiętam, że od strony redakcyjnej zajmowała się tą moją książką jakaś pani z Czytelnika. Oczywiście nazwiska ani twarzy nie pamiętam, bo ja nigdy nie miałam głowy ani do nazwisk, ani do ludzi. No i ona obiecywała mi, że zrobią dodruk. Ale potem chyba szybko gdzieś wyjechała za granicę i ślad po niej zaginął.

A ten dodruk pewno jednak zrobili, bo czasem na spotkaniach ludzie przychodzą po autograf i widzę, że książka ma różne okładki. Ale żadnych dużych pieniędzy za to nie zarobiłam. To były takie grosze, że zupełnie mnie to nie zachęciło do pisania. Może gdybym za tę książkę dostała jakieś godziwe pieniądze, to moje życie potoczyłoby się inaczej? A tak to w ogóle mnie pisanie książek nie interesowało. Przecież nie muszę akurat ja pisać, żeby ludzie mieli co czytać! Pisanie dla przyjemności mnie nie interesuje. Przyjemność to jest zarobić pieniądze i przegrać je w pokera.

Wiem, że to bardzo brzydko brzmi, ale taka jest prawda.

# Jak płacić niebotyczny czynsz

**Z**awsze się czułam warszawianką i nigdy, za żadne skarby świata z Warszawy nie wyprowadziłabym się. A mało brakowało. Po wojnie mieszkaliśmy całą rodziną na pięćdziesięciu sześciu metrach. Gdy ojciec do nas wrócił z wojny, dostał dobrą pracę w Banku Gospodarstwa Krajowego. I zaproponowano mu awans związany z przeprowadzką do Gdańska, na Ziemie Odzyskane. Mieliśmy tam dostać wielkie mieszkanie czy też domek, co najmniej sto metrów, a może i jeszcze więcej. Wszyscy się z tego strasznie cieszyli, że zamieszkają nad morzem i w komfortowych warunkach. Bo tu, w Warszawie, jedyne morze, jakie było, to było morze ruin. Tylko ja się zaparłam jak osioł, że się nie przeniosę. Miałam może dziewięć lat, ale wyłam jak syrena. Płakałam, tupałam, darłam się tak długo, aż ojciec machnął ręką i powiedział, że zostajemy w Warszawie.

Czasami zastanawiam się, jak by moje życie wyglądało, gdybym była naprawdę bogata. Mogłabym wtedy grać sobie w pokera, siedzieć przed telewizorem i palić papierosy. Oczywiście nie zamierzałabym podróżować, bo choćbym była nie milionerką, ale miliarderką, to do podróżowania nikt by mnie nie zmusił. Ale chciałabym mieć większe mieszkanie.

Ktoś mógłby się oburzyć, bo w tej chwili mieszkamy z Karolakiem w stumetrowym apartamencie. Jak na dwie osoby, to można powiedzieć, że to jest całkiem duże mieszkanie. Tylko nie przy Karolaku.

Gdy jeszcze się nie znaliśmy, mieszkałam w dwudziestosześciometrowej kawalerce i byłam zadowolona. Ale mieszkanie stało niemal puste. Były tam, w takiej wnęce, składany tapczan, stolik, dwa fotele i telewizor, mały przedpokoik i maleńka kuchnia. To wszystko.

To było moje ukochane mieszkanie. I w samym centrum miasta. W wieżowcu, na piętnastym piętrze, przy skrzyżowaniu ulicy Marszałkowskiej i Świętokrzyskiej. Mimo że było małe, to miałam poczucie przestrzeni. Jak wychodziłam na mały balkonik, to miałam widok na Pałac Kultury i dom towarowy Sezam. W oknach nie było żadnych firan, żeby wieczorem, gdy miasto rozbłyskało światłami, patrzeć na Warszawę. To był dla mnie najlepszy punkt w mieście, a ja byłam najszczęśliwsza, gdy mieszkałam w samym centrum. Bo ja przepadam za miastem, przestrzenią. Dlatego starałam się tego mieszkanka nie zagracić. Było pusto i czysto. Czasem koledzy z radia przychodzili, ale to na godzinę, na dwie, wódeczki się napić. A potem wychodzili i ja znowu byłam sama. Uwielbiam być sama. Wychodziłam na mały balkonik i patrzyłam z tego piętnastego piętra na Pałac Kultury. Warszawa teraz jest coraz ładniejsza, ale nawet wtedy z tego piętnastego piętra ładniej wyglądała, szczególnie w zimie. Tak zwana Ściana Wschodnia to były chyba jedne z pierwszych wieżowców, jakie powstały w Warszawie. Gdy je zbudowano, miały dwadzieścia osiem pięter. Ja na piętnastym, czyli w połowie. Żałowałam, że nie mieszkam jeszcze wyżej, ale miałam kolegę na ostatnim piętrze, to czasem do niego przychodziłam spojrzeć na miasto. Gdybym tylko mogła, mieszkałabym najchętniej na setnym piętrze. Byłabym wtedy bardzo szczęśliwa.

Przy Marszałkowskiej róg Świętokrzyskiej mieszkałam przez dziesięć lat.

Pensje mieliśmy w radiu strasznie małe. Na etacie zarabiałam tysiąc pięćset złotych i tyle samo płaciłam za mieszkanie. Żyłam z honorariów autorskich. Dostawałam trzy, czasem cztery tysiące. Ja palę bardzo dużo, zazwyczaj trzy paczki dziennie, więc całkiem sporo wydawałam na papierosy. Nic nigdy nie gotowałam. Jadałam na mieście lub kupowałam gotowe potrawy – to też kosztowało. Miałam też mamę mocno dorosłą – jak łatwo się domyślić. Musiałam jej pomagać, bo mama była całe życie bibliotekarką. Ojciec umarł, jak miał pięćdziesiąt dwa lata, więc sporą część życia żyła sama. Jak już przestała być tą bibliotekarką, to miała taką emeryturę, że jak już zapłaciła za mieszkanie, za telefon, to jej zupełnie nic nie zostawało. Więc ja co trzy dni jechałam do niej z tobołami. Kupowałam zawsze za dużo jedzenia, bo wolałam, żeby miała więcej, niż jakby miało jej zabraknąć. No i tak żyłam i nigdy nic nie zaoszczędziłam. Ani grosza.

A potem poznałam Karolaka.

On mieszkał wtedy za granicą. Ale jak przyjeżdżał, to u mnie pomieszkiwał. Raz walizeczkę przywiózł, potem drugą. I jak jakaś plazma zaczął się rozrastać. A to dwudziestosześciometrowe mieszkanie systematycznie się kurczyło. W efekcie siedziałam na podłodze, w przedpokoju, pisałam na maszynie, oparta o drzwi wejściowe, a na środku naszego maleńkiego mieszkanka stały wielkie organy Hammonda.

Tak się na dłuższą metę nie dało żyć. Zwłaszcza że Karolak na organach Hammonda nie poprzestał. Zaczął zwozić swoje kolejne instrumenty. A wszystko mu było potrzebne. Nie było jeszcze wtedy komputerów, a on komponował muzykę. Ja pisałam teksty. A w takich warunkach nie można było pracować.

To były czasy, gdy twórcy mogli wystąpić do Ministerstwa Kultury i Sztuki, żeby przydzielono im większy metraż. Tak zwani artyści dostawali większe mieszkania, oczywiście oddając swoje własne. Ci, którzy mieli głowę na karku, szukali obszernych willi, które były w stanie zupełnej ruiny. Oddawali tej starowinie, która tam w tej ruinie na ogół mieszkała, swoje mieszkanie i remontowali na własny koszt willę. Ponieważ wiedziałam, że Karolak nie jest z tych, co akurat będzie remontować, to gdy pojawiła się taka szansa, wystąpiłam do ministerstwa o „prawdziwe" duże mieszkanie. I oddałam swoją ukochaną kawalerkę na Marszałkowskiej.

Obiecano sprawę załatwić, ale to się wszystko strasznie przeciągało, a trzeba było gdzieś mieszkać. Janek Pietrzak, z którym dobrze się wtedy żyło, usłyszał, jak kiedyś mówię, że nie daję już rady. Te dwadzieścia sześć metrów, te organy Hammonda, które cały pokój właściwie zajmowały... Pracować nie można, a obiecane mieszkanie ciągle jest zajęte. Pietrzak mieszkał w fińskich domkach na Jazdowie i okazało się, że po sąsiedzku jest taki wolny domek, bo jego właściciel – lekarz, przyjaciel Janka – wyjechał do Australii. Janek, który mnie wtedy lubił, a mojego męża – Wojtka – lubił chyba jeszcze bardziej, powiedział, że skontaktował się z tym lekarzem i możemy jego domek wynająć. Nie wiedziałam, czy się cieszyć, czy nie, bo ja wsi nie znoszę. A Jazdów początkowo tak mi się właśnie skojarzył.

Janek przekonywał mnie, że nie jest tak źle. Po pierwsze, to nasz domek jest tuż przy samym Sejmie, czyli to jednak raczej środek miasta, a nie wieś. Po drugie, w tych dwudziestu sześciu metrach już się naprawdę mieszkać nie dało, a domek miał metrów siedemdziesiąt. Nie musiałabym pisać, siedząc w przedpokoju na podłodze. Po trzecie, mieszkało tam wtedy na Jazdowie sporo naszych znajomych. Tuż obok Janek Pietrzak, dalej Jonasz Kofta, parę osób z telewizji i z radia. Gdy było lato, wszyscy siedzieli w ogródkach i prowadzili intensywne życie towarzyskie. Drzwi się tam wtedy nie zamykało i codziennie ktoś do nas wpadał albo my szliśmy do znajomych. Było dużo ludzi, których znałam z pracy. Obywało się bez telefonów. Szło się po prostu z wizytą. Przechodziło się alejkę, a kilka metrów dalej siedział na przyzbie, na schodach drewnianych Janek Pietrzak. Albo Jonasz Kofta pisał coś przy stoliku wstawionym do ogródka. To się z nim usiadło, pogadało. Trochę jak na wakacjach. Życie towarzyskie kwitło i było to bardzo przyjemne. Poznałam wtedy Jerzego Urbana, który często przychodził do Janka Pietrzaka, bo tam się zazwyczaj przyjęcia odbywały, a to był domek tuż obok nas. Mieszkaliśmy w pierwszej alejce od Sejmu.

I to nawet miało swój urok, zwłaszcza ze świadomością, że się czeka na prawdziwe mieszkanie, że tak nie będzie do końca życia. Miałam wtedy pieska i fajnie tam się spacerowało po tych alejkach.

Mieszkaliśmy tak tam pięć lat.

W tym czasie Karolak bardzo często wyjeżdżał za granicę. A to na pół roku, a to na osiem miesięcy. Ciągle też czekaliśmy na to obiecane większe mieszkanie. Znaliśmy adres, na Mokotowie, ale nie mogliśmy się tam wprowadzić, bo mieszkał tam pan wicepremier Tadeusz Pyka. On dostał akurat nowe, piękne mieszkanie gdzie indziej, ale czekał, aż ten nowy apartament mu przebudują. Bo podobno zażyczył sobie, żeby połączono dla niego dwa duże mieszkania, stojące obok siebie. A wtedy, w drugiej połowie lat siedemdziesiątych, wicepremier mógł dostać wszystko, o czym tylko sobie zamarzył.

Ponad rok się wyprowadzał. A myśmy tylko podjeżdżali pod blok i patrzyli, czy jeszcze światło się pali w oknie na czwartym piętrze. Patrzyliśmy, liczyliśmy okna i klęliśmy: „Cholera! świeci się!". Pytaliśmy w administracji, kiedy ten Pyka się wyprowadzi, ale tylko patrzyli na nas jak na wariatów. To nie były czasy, by ktoś mógł podejść do wicepremiera i zapytać: „Kiedy pan wreszcie odda klucze?". „Jak się wyprowadzi, to się wyprowadzi. Zadzwonimy do was i powiadomimy. A na razie czekajcie cierpliwie".

Aż któregoś dnia odebrałam telefon. Wicepremier się wyprowadził! Możemy zamieszkać w jego stumetrowym apartamencie.

Kiedy się miało wcześniej kawalerkę, to apartament, który ma sto dwa metry, robi kolosalne wrażenie. Było takie puściutkie i odpicowane. Po tych dwudziestu sześciu metrach, już zagnieżdżonych przez pana Karolaka jego instrumentami, to się tu raptem zrobiło przestrzenne, piękne, olbrzymie mieszkanie.

Ale Karolak zobaczył, że ja coś minę mam nie bardzo. Nic nie mówiłam, bo nie lubię narzekać, ale on od razu wyczuł, że coś jest nie tak. Poszliśmy do kawiarni nieopodal tego domu, na rogu Puławskiej i Rakowieckiej. Usiedliśmy przy kawie i wtedy mi nerwy puściły.

– Ja – mówię – ja... warszawianka, w kartoflach będę mieszkała? O, Matko Boska, co za wiocha! Czwarte piętro, to w ogóle jakby w piwnicy. No i wokół kartofle. Kartoflisko!

Mnie się wydawało, że tutaj miasto się już kończy. To jest po prostu koniec świata.

Teraz tu się trochę zabudowało, ale rzeczywiście, gdy jeszcze wielu domów nie było, to te tereny nadawały się raczej do spacerów z psem niż do mieszkania.

Ale z drugiej strony nareszcie mieliśmy wielką, niezagraconą przestrzeń. Można było odetchnąć.

Zachwyt nad wielkim metrażem trwał jakiś miesiąc. A potem wszystko się skończyło. Uwielbiam, jak jest pusto w mieszkaniu, to Bóg mnie pokarał Karolakiem.

Ponieważ mąż uwielbia kupowanie nowych instrumentów. Ma ich mnóstwo i nigdy się ich nie pozbywa. Niczego nie wyrzuci. Kocha gadżety. I tak skutecznie zagraca mieszkanie, że teraz chodzimy korytarzami wydeptanymi w tunelach pomiędzy poustawianymi paczkami z najróżniejszymi instrumentami klawiszowymi i starymi komputerami. Na szczęście nikogo do siebie nie zapraszamy. Teraz w ogóle nie utrzymuję z ludźmi kontaktów prywatnie. Nie potrzebuję tego, by z kimś wypić kawkę, pogadać. W pracy tyle się nagadam, że najchętniej sama spędzam czas. Z mężem się najczęściej mijamy, bo on na ogół się w ciągu dnia kładzie spać koło południa. A jak nie ma pracy, to śpi do wieczora. A wieczorem ja siedzę przy telewizji, a on prawie telewizji nie ogląda, głównie komponuje coś przy komputerze. Prowadzimy oddzielne życie, co mi zresztą bardzo odpowiada.

Tylko dom, w którym mamy nasze mieszkanie, w nowych czasach stał się prawdziwą twierdzą. Mają tu swoje siedziby ambasady, mieszkają głównie obcokrajowcy. Czynsz poszybował w górę tak bardzo, że wszyscy, którzy tylko mogli się stąd wyprowadzić, to to zrobili. My nie możemy, bo nie mielibyśmy siły na przeprowadzkę. A zresztą gdzie mielibyśmy się wynieść?

Mój ukochany Woody Allen napisał w jednym ze swoich felietonów, że policzył kiedyś, ile by kosztowały mieszkania, gdyby ludzie nie umierali. I choć panicznie boi się śmierci, to przeraziło go to, ile w sumie musiałby zapłacić za czynsz, wodę, gaz i prąd, gdyby miał żyć wiecznie. I że przy życiu utrzymała go wówczas jedynie świadomość, że na szczęście kiedyś umrze. Zgadzam się z nim całkowicie. Gdybym się dowiedziała, że mam żyć wiecznie, tobym się chyba od razu zabiła. Bo moim zdaniem życie to jest tak nudna sprawa i tak nieciekawa, że naprawdę przy życiu trzyma mnie myśl, że któregoś dnia na pewno skończy się konieczność płacenia czynszu.

# Jak popełniać gafę za gafą w towarzystwie księdza

O d czasu do czasu bywam u pana Marcina Mellera w programie *Drugie śniadanie mistrzów* w TVN24. Przychodzą tam różni goście, między innymi ksiądz Kazimierz Sowa. Wszyscy są ze sobą na „ty", ale ja jakoś nie znam księży osobiście, i jego też nie znałam, więc najpierw mówiłam do niego „proszę księdza". Ale czułam, że to jakoś głupio mi brzmiało i zaczęłam do niego mówić „proszę pana księdza". W czasie programu, podczas przerwy na reklamy Meller odebrał jakiś telefon i zaczął się śmiać. Potem mi powiedział, że dzwonił Bartosz Arłukowicz, z którym znał się jeszcze z czasów, gdy prowadził program *Agent*, w którym razem jeździli po świecie, skakali i wygłupiali się. No i podobno Arłukowicz powiedział mu:

— Brawa dla Czubaszek za to, że mówi „proszę pana księdza".

No to już wiedziałam, że raczej tak się mówić
nie powinno. I kiedy następnym razem zaproszono
mnie do „Drugiego śniadania mistrzów", w garderobie
podczas pudrowania i makijażu zapytałam Andrzeja Grabowskiego: „Słuchaj, jak się mówi do księdza?".

On na mnie spojrzał, jakby był naprawdę
zdziwiony, że ja nie wiem, i mówi: „No jak to, jak! Dobrodzieju!".

Podczas programu, już spokojnie, w dyskusji
zwróciłam się do księdza Sowy: „Dobrodzieju". Wszyscy parsknęli śmiechem, a ja spojrzałam na nich oczami zranionej sarny i poprawiłam się: „Przepraszam
– panie dobrodzieju". Zorientowałam się, że to też nie
zabrzmiało dobrze. I od tamtego momentu mówiłam
już do księdza Sowy normalnie – per „pan".

# Jak rozmawiać z politycznym przeciwnikiem

To musiał być 1995 rok, gdy zadzwoniłam do Krysi Sienkiewicz. Zawsze miałam z Krysią dużo wspólnych spraw do załatwienia, bo ona się też, tak jak ja, zajmuje pieskami. Ale ponieważ ona występowała także w tamtym czasie w Kabarecie pod Egidą, a ja bardzo lubiłam ich występy, więc chciałam jej zrobić przyjemność i pochwalić to, co robią: „Kryśka! Jaki świetny numer zrobił teraz Janek Pietrzak. No po prostu świetny!". A ona się zdziwiła: „Ale jaki numer? O co ci chodzi?". „No z tym, że opowiada, że kandyduje na prezydenta. Przecież to żart, a pół Polski uwierzyło!".

A Kryśka na to: „Ty idiotko! Przecież on z tym serio, a my, zamiast zarabiać w kabarecie, musimy mu kampanię robić!".

Mnie ręce jak płetwy opadły, bo on już podobno obiecywał jakimś ludziom stanowiska. Był pewny, że wygra! Wtedy pierwszy raz się troszkę zastanowiłam nad tym, że mu odbiło. Matko Boska! Co on wygaduje! Potem to już zaczęło być bardzo wyraźnie widać, w którym kierunku szybuje, i nasze drogi się rozeszły. Ale zawsze z nim lubiłam rozmawiać o polityce.

Kilka lat temu spotkaliśmy się na jakiejś imprezie przy okazji wydania książki o Jurku Dobrowolskim. Już nie pamiętam, gdzie to było, ale sala była bardzo zatłoczona i jak myśmy z Karolakiem przyszli, to już zostały tylko jakieś pojedyncze wolne miejsca. Ja usiadłam w jednym rzędzie przy kimś, a Wojtek usiadł przede mną, koło Janka Pietrzaka, bo tam akurat było jedno wolne miejsce. Piotrek Fronczewski czytał fragmenty książki. Niewiele było słychać, a ja i tak nie mogłam się skupić, bo przede mną Wojtek i Janek, nachyleni do siebie, gadali i gadali.

Coraz bardziej się dziwiłam, bo choć Wojtek się w ogóle mało innymi ludźmi interesuje, a kiedyś bardzo lubił Janka, to przecież poglądy polityczne mają inne. Chyba nie mogłam się mylić w takich sprawach. Wojtek na takie tematy nie rozmawia, wyjeżdża dużo, może się nie orientować. A ja przecież im nie przerwę i nie powiem: „Wiesz, my jesteśmy za Platformą, a Pietrzak to jest za PiS-em". Siedziałam więc za nimi i patrzyłam coraz bardziej zdziwiona, jak coś do siebie szepczą, rechoczą, poklepują się po plecach. Trwało to pewno z półtorej godziny.

Gdy wyszliśmy z tego spotkania, mówię: „No, Wojtek, ale sobie z Jankiem pogadałeś...".

A on: „Wiesz, rozmawialiśmy cały czas o polityce i słuchaj, mamy identyczne poglądy!".

Ja się naprawdę zdziwiłam: „O czym ty mówisz?".

Teraz z kolei Wojtek się zdziwił: „Słuchaj, on tak nadawał na ten PiS, że...".

„Chyba na Platformę!".

„Co ty mówisz? To on jest za PiS-em?".

„Oczywiście! Pisior z niego taki, że Jezus Maria!".

Myślę, że Wojtek po prostu nie dosłyszał, co Janek mówił na początku. Może coś tam działo się na scenie i się rozproszył, i był pewny, że Pietrzak z PiS-u się śmieje – i był zachwycony.

Ale już sobie wyobrażam, jak Janek Pietrzak musiał być zdziwiony. Pewno wrócił do domu i powiedział do żony: „No nie wiem, jak Karolak wytrzymuje z tą Czubaszek, która zwariowała i popiera Platformę! Przecież Wojtek ma takie same poglądy jak ja!".

○

# Jak chłopu
# pokazać jego miejsce

Strasznie chłopów nie lubię. Chłopów nie
w sensie „mężczyzn", bo akurat ich bardzo lubię i całe życie obracałam się w męskim towarzystwie, tylko chłopstwa. Nie znoszę ich, bo wiem,
jak oni zwierzęta traktują. Naraził mi się taki poseł
PSL-u – Eugeniusz Kłopotek. Była kiedyś ciekawa ak-
cja „Zerwijmy łańcuchy", w sprawie psów, które są
męczone przy wiejskich chałupach. I ten pan Kłopotek, chłop – jak się przedstawił – w telewizji zaczął
tłumaczyć, że u nas zawsze taka tradycja była na wsi,
że pies był przy budzie na łańcuchu. No i dopóki Polska będzie Polską, to pies na łańcuchu przy chałupie
musi być. I basta!

Następnego dnia byłam w radiu TOK FM
i rozmawiałyśmy na temat zwierząt z panią Dorotą Su-
mińską. Program szedł na żywo, a prowadził go jakiś
młody redaktor. W pewnym momencie przypomniałam sobie o tej wypowiedzi Kłopotka i nie mogłam

się już powstrzymać. Powiedziałam: „O, wczoraj słuchałam posła z mojego ulubionego klubu parlamentarnego PSL".

Dziennikarz wyczuł, że może coś będzie ciekawego się działo, więc pyta: „No i co, i co?".

Odpowiedziałam: „Wie pan, co on powiedział? Że taka jest na wsi tradycja, że pies musi być na łańcuchu. – I mówię dalej: – Ja na wsi byłam dwa razy w życiu: pierwszy i ostatni. Ale pamiętam, że taka była u nas zawsze w Polsce tradycja, że chłop to w kaloszach po wsi chodził, a nie po Warszawie, po Sejmie łaził. I według mnie taka tradycja jest całkiem dobra. Niech chłop siedzi na wsi, a nie pcha się do Warszawy głupoty gadać".

Widziałam, że tego młodego dziennikarza po prostu zatkało. Bo to szło na żywo, na całą Polskę, a bardzo było niepoprawne politycznie. Przestraszył się i zmienił szybko temat. A potem dowiedziałam się, że ten Eugeniusz Kłopotek to słyszał. I bardzo dobrze. Bo jak ktoś tak wyciera sobie gębę tradycją i nawołuje do trzymania psów na łańcuchu, to niech w gumiakach po wsi łazi i opowiada kurom o tej swojej „tradycji", a nie po Warszawie chodzi i udaje posła.

Chłopstwa nie znoszę. I zdania o nich nie zmienię. To są straszni ludzie.

# Jak mieć
# niepopularne poglądy

**N**igdy mnie do dzieci nie ciągnęło, nawet jak byłam dzieckiem, nie wychodziłam na podwórko, żeby się z innymi pobawić. Jak raz poszłam, to zaraz jakieś wiadro dziecku na głowę włożyłam i była awantura. No po prostu już wtedy nie lubiłam dzieci. A dzieci podobno trzeba kochać.

Gdy poszłam do szkoły, było jeszcze gorzej, bo dzieci śmiały się z tego, że jak mówię, to zaciągam po rusku. Wszystko przez to, że u mnie w domu mówiło się z lwowskim akcentem. Moja mama do końca życia mówiła po lwowsku, ale ja tego strasznie nie lubiłam. Gdy wracałam ze szkoły, robiłam piekielne awantury, że mi wstyd się odezwać przy ludziach. Na szczęście szybko się tego lwowskiego akcentu pozbyłam.

Moje dzieciństwo było nudne. Nie kolegowałam się z żadnymi dziećmi. Mama pracowała, ojciec pracował, więc byłam cały czas z babcią, którą bardzo kochałam. Telewizji wtedy nie było, czyli w rezultacie z całej okupacji tylko pamiętam Powstanie Warszawskie. Że się gdzieś biegało na dół, do piwnicy, jak wyły syreny.

Z dzieciństwa jeszcze pamiętam, że bardzo lubiłam Łazienki, zresztą blisko mieszkaliśmy, bo na Rozbrat. Na ogół z babcią tam szłam, nigdy z żadnymi dziećmi. Jeżeli jakieś tam przylazło, to zaraz je trzepnęłam, no bo nie znosiłam towarzystwa innych dzieci. I to mi zostało do dziś.

Wiele osób ma mi to za złe, zdaję sobie z tego sprawę, natomiast mnie osobiście zawsze bardziej wzruszali ludzie starzy, bo uważałam, że przed dzieckiem to jest jeszcze całe życie, ono je sobie jakoś ułoży. Ale było mi szkoda starych ludzi. Bo starość to już końcówka i na ogół starzy ludzie są biedni.

Dzieci wszyscy – prawie – kochają, prócz tych drani, co dzieci krzywdzą. Od razu zaznaczam, że krzywdzenie dzieci to dla mnie okropne świństwo, bo to, że ja nie przepadam za dziećmi, to nie znaczy, że chodzę i skrzydełka im wyrywam czy nóżki wykręcam. Nie! I nigdy nie chciałam mieć dziecka, bo wiem, że nie potrafiłabym się tak nim zająć, jak dziecko tego wymaga.

Nie mogę pojąć, jak ktoś, kto nie ma co do gara włożyć, ma sześcioro, siedmioro dzieci. Mnie takie rzeczy nie wzruszają, tylko po prostu wkurzają. Jak się zbliżają święta, w tabloidach często jest taki obrazek: jakaś pani stoi, ledwo ją widać – cień człowieka. I siedmioro dzieci koło niej! A ona płacze, że na gwiazdkę dzieci chciałyby szczoteczkę do zębów... Biedna jest i sama. Każde dziecko ma z innym facetem i wszyscy rozpłynęli się w sinej mgle.

Jak ja to czytam, to dla mnie to jest coś koszmarnego i dlatego jestem absolutnie za aborcją. Jeżeli ktoś nie ma warunków, to lepiej, żeby na samym początku usunął, niż żeby skazywać te dzieci na jakąś nędzę straszliwą.

Ludzie na ogół się wzruszają, czytając takie historie, a mnie po prostu złość bierze. Żal mi dzieci, nie tej baby, bo baba oprócz części rodnych i nóg, które może rozłożyć przed facetem, to jeszcze powinna mieć rozum. No jak można tyle dzieci napłodzić?! To mnie to po prostu doprowadza do szału.

Wychowanie dzieci to jest zbyt poważna sprawa, żeby pozostawiać ją nieudacznikom.

To, że ktoś kocha dzieci, nie ma tu znaczenia. Ja uwielbiam psy, ale wiem, że w tej chwili nie mam warunków na trzymanie psa, bo bardzo dużo wyjeżdżam. Pies nie może być sam, więc mimo że kocham psy i całe życie je miałam, to teraz nie mam. Jeżeli nawet w stosunku do psa człowiek powinien być odpowiedzialny, to cóż dopiero do dziecka?

Ale ludziom nie da się tego wytłumaczyć.

Ja się w zasadzie rzadko kłócę, natomiast pamiętam taką awanturę z osobą, którą bardzo lubiłam – Basią Wrzesińską. Basia występowała w moich audycjach, a u mnie takie znajomości często przenosiły się na grunt prywatny. Spotykałyśmy się na kawę u mnie w domu i tak kiedyś mi powiedziała: „Słuchaj,

Marysiu, a ja tak naprawdę nie wierzę, że ty nigdy nie chciałaś mieć dzieci".

Strasznie się pokłóciłyśmy. A przecież na początku tłumaczyłam jej spokojnie, że ja dzieci nie lubię. Nie wyobrażam sobie, że miałabym karmić piersią, bo mnie to brzydzi. Jak dziecko się przyssie do człowieka i zaczyna tak ciągnąć z kobiety, dla mnie to jest coś obrzydliwego.

Poza tym dziecko całkowicie ogranicza życie towarzyskie, które akurat wtedy bardzo sobie ceniłam. Prawie wszyscy moi znajomi na ogół jakieś dzieci mieli. A tak się składało, że wtedy jeszcze nie mieli olbrzymich domów i wiadomo, że nie można było w tych maleńkich mieszkaniach palić, bo dziecko... A ja palić lubiłam i lubię. Więc przez te dzieci musiałam przestać bywać u znajomych.

Basia była uparta i twierdziła, że gdybym już to dziecko urodziła i spojrzała na maleństwo, tobym je pokochała. Bzdura! Pamiętam, jak urodziła się moja młodsza siostra. To był dla mnie koniec świata. Miałam dwanaście czy trzynaście lat, gdy postanowiłam ją udusić poduszką. Ale mi się nie udało. Szarpałam ją za włosy, popychałam. Nie lubiłam jej od początku i tak mi zostało do końca. Nie mam z nią dziś w ogóle żadnego kontaktu. Na szczęście ona mieszka gdzieś w Australii. Nawet nie wiem gdzie. I wcale nie chcę wiedzieć.

# Jak zostać matką
# od razu dorosłego syna

Tylko raz zostałam matką. Kiedy zaproszono mnie i Karolaka do wystąpienia w serialu „Spadkobiercy". Nie mieliśmy pojęcia, jaką rolę nam szykują. Bo to był taki serial improwizowany, który grano na żywo przy udziale publiczności. Trochę się obawiałam, że każą mi grać rolę jakiejś niańki do dziecka, a tego bym nie zniosła. Ale okazało się, że choć będziemy z mężem rodzicami, to jednak już całkiem dorosłego dziecka – Artura Andrusa.

Ja rzeczywiście Artura bardzo polubiłam i chyba – bo nie robi z tego tajemnicy – on polubił też i mnie. Może dlatego, że go trochę śmieszę. Jestem o tyle starsza od niego, że spokojnie bym mogła być jego mamą.

Nawet bardzo bym tego chciała, bo on dobrze zarabia i ja nie musiałabym tyle pracować, bo miałby mnie kto utrzymywać. Oczywiście i mnie, i Karolaka, który też go bardzo lubi. Zresztą z wzajemnością.

Więc kiedy dowiedziałam się, że będę mamą Artura Andrusa, a mój mąż będzie jego ojcem, to się strasznie ucieszyliśmy. Tylko trzeba było szybko wymyślić, dlaczego myśmy się tak długo nie widzieli i spotykamy się dopiero po latach. Odpowiedź na szczęście była prosta. Wykorzystałam to, że ja dzieci nigdy nie lubiłam. Więc gdy się Artur urodził, ja po prostu go zostawiłam w szpitalu i przez całe lata się nim nie interesowałam. Dopiero gdy podrósł i zaczął dobrze zarabiać, to chętnie się do niego przyznałam.

# Jak nie zostać
# politykiem

Jest takie mądre powiedzenie: Lepiej nie wiedzieć, jak się robi parówki i politykę. Kulisy polityki, tak jak i zakładu masarskiego, są bardzo brzydkie. I to, że lubię parówki i lubię politykę, wcale nie znaczy, że chciałabym wiedzieć, jak to jest robione. Dlatego też nie mogłabym pracować w mięsnym i nie mogłabym być politykiem.

Polityk musi być lojalny wobec partii, która go wystawiła na świecznik. Nie może mówić tego, co chce, tylko to, co musi. A nie było nigdy w Polsce żadnej partii, z którą bym się zgadzała w stu procentach, więc z moim charakterem do polityki się zupełnie nie nadaję. Ale oczywiście bardzo mnie ona interesuje.

Kibicowałam Solidarności i w ogóle – opozycji w PRL-u. Ale naprawdę ciekawe czasy nastały dopiero po 1988 roku. Panowała jakaś taka ogólna euforia, że teraz to już będzie pięknie. A ja bałam się, że nic dobrego z tego nie wyjdzie. Mówiłam nawet Pusi

Fedorowiczowej, że jak Solidarność wygra wybory – a daj Boże, żeby wygrała – to zaraz potem wszyscy tam zaczną się nawzajem gryźć. I – niestety – miałam rację.

Politykiem nie zostałam, ale od 1989 roku nigdy nie opuściłam żadnych wyborów. Choć już – zwłaszcza ostatnio – wiele razy mówiliśmy z mężem, że tym razem głosować nie pójdziemy, bo nie ma na kogo. I zawsze w ostatniej chwili – nie ukrywam, że ze strachu – szliśmy na te wybory. Tyle się w Polsce zmieniło, a cały czas wkurzające jest to, że nie idziemy wybierać lepszego dobra, tylko mniejsze zło. Do dnia wyborów twardo uważamy, że zostaniemy w domu, a potem i tak mówię do męża: „Zając, nie ma rady, idziemy głosować".

Do afery Rywina jeszcze było u nas jako tako normalnie. Nie miałam zbyt wielkich oczekiwań, więc nie byłam rozczarowana, że żaden cud się nie zdarzył. Irytowało mnie to, że cenzurę z czasów PRL-u bardzo skutecznie zastąpiła autocenzura, bo dziennikarze dobrze wiedzieli, co się spodoba ich naczelnemu, a co może zaszkodzić im w karierze. Cenzura z dawnych czasów była oczywista i wszyscy musieli się z nią zmagać. Teraz każda gazeta ma swoją linię, sympatie i antypatie. Trzeba na tym się znać i uważać, co gdzie się mówi czy pisze.

Jak wybuchła afera Rywina i zaczęły się przesłuchania przed komisją sejmową, oglądałam transmisję z wypiekami na twarzy i nawet wszystko nagrywałam na kasety, bo wydawało mi się to takie ważne i wyjątkowe. Że teraz to się wszystko po prostu musi zmienić. Ale oczywiście nic się nie zmieniło. Gdy w 2005 roku doszedł do władzy PiS, to już byłam silnie dorosła, żeby nie powiedzieć – stara. Myślę, że młodzi ludzie bardziej to przeżyli, bo ja już nie myślę o tym, żeby sobie życie ułożyć, mieszkanie kupić, żeby mi się jakoś lepiej żyło. W zasadzie nic mnie nie było w stanie zaskoczyć. Nawet te akcje, jak wpadali gdzieś do kogoś o szóstej rano i wyciągali go z domu w kajdankach. To, co mnie może nie zdziwiło, ale zaskoczyło, to sprawa Romualda Szeremietiewa.

Poznałam go osobiście na imieninach u Marcina Wolskiego i okazał się całkiem fajnym facetem. W przeciwieństwie do Janusza Korwin-Mikkego, który przychodził, siadał gdzieś w kącie w fotelu i natychmiast zasypiał. Marcin ma duży dom i różni politycy chętnie przychodzili na jego imieniny. A większość jednak z nich miała takie skrzywienie prawicowe. Gwiazdą był Michał Kamiński, jak jeszcze należał do PiS-u. Perorował głośno, opowiadał różne dowcipy i był zabawny. Janek Pietrzak wpadał z gitarą i wtedy wszyscy głośno śpiewali „Żeby Polska była Polską". Szeremietiew też był niczego sobie. Był wtedy jakimś wiceministrem, chyba od spraw wojskowych. Zabawnie opowiadał, jak kiedyś zimą pękła mu przednia szyba w samochodzie i jak dojechał do domu, to żona go nie poznała, bo myślała, że to jakiś Święty Mikołaj do niej przyszedł – tak miał zaszronioną twarz.

Potem usłyszałam, że ktoś go wrobił w jakąś aferę. Zabrali go śmigłowcem do aresztu. No i Marcin przestał go zapraszać na imieniny. A teraz okazało się, że to była jakaś dęta sprawa i po latach go oczyszczono z zarzutów. Ale co z tego – faceta załatwili do końca życia.

Chyba na imieninach Marcina ktoś mi kiedyś zadał to pytanie: dlaczego, skoro interesuję się polityką, nigdy nie myślałam o tym, żeby chociaż gdzieś radną zostać. Odpowiedziałam, że jestem uczciwa, a uczciwy – proszę się tylko nie obrazić – w polityce kariery nie zrobi. Po prostu trzeba być trochę skurwysynem, żeby jakoś się w tym zawodzie odnaleźć.

Większość idzie do polityki z dobrymi intencjami. Tak jak Krzysiek Cugowski, który postanowił zostać senatorem PiS, a jak mu się już to udało, to się zniechęcił, rozczarował i odszedł. Ale znów stanął w wyborach, jako niezależny, bo polityka go tak wciągnęła. A może się znudził na emeryturze?

Jacek Fedorowicz mówił kiedyś o komunistach, że oni pochodzą od innej małpy. Myślę, że to samo można powiedzieć o politykach. To jest taki troszeczkę inny gatunek. Myślę, że oni są uzależnieni od adrenaliny, jak kierowcy samochodów wyścigowych. To widać na przykład po panu Jacku Kurskim. Choć nigdy nie był moją sympatią, ale zawsze uważałam, że to człowiek inteligentny, który wyróżnia się na tle innych naszych polityków. Czasem wkurzał mnie okropnie, potrafił być bezczelny, wręcz arogancki, ale wolałam już jego od tych przeciętnych kretynów. Ale to, co się ostatnio dzieje, jak on się łasi do prezesa Kaczyńskiego, niemal wiersze wypisuje, to jest żałosne.

Żenujące. Ale ja wiem, on po prostu nie ma innego zawodu. Nie wyobraża sobie życia poza polityką. Nawet mi go po ludzku szkoda, bo choć nie zgadzałam się z nim prawie w niczym, to lubiłam go słuchać. Zawsze wolę inteligentnego, choćby i skurwysyna, od poczciwego głupka. A, niestety, pan Jacek Kurski chyba zgłupiał, bo tak się daje poniżać, że chyba zacznie płakać i błagać, żeby go przyjęli z powrotem do tego PiS-u.

Zresztą jakieś kompletnie niezrozumiałe przejścia i sojusze zdarzają się w każdej partii. Bardzo lubiłam do niedawna pana Andrzeja Rozenka. Do niedawna był dziennikarzem w tygodniku „Nie" Urbana, co mi oczywiście w ogóle nie przeszkadza, bo uważam, że Jerzy Urban jest superinteligentnym facetem i bardzo dobrym dziennikarzem. Potem Rozenek był gwiazdą Twojego Ruchu Janusza Palikota i z prawdziwą przyjemnością obserwowałam jego karierę. Ale gdy związał się z Grzegorzem Napieralskim, facetem zupełnie nijakim, który najpierw łaził za Leszkiem Millerem po plaży w podwiniętych spodenkach, a potem wywalili go z SLD, to straciłam do niego cały szacunek. Bo tak jak bardzo wiele można powiedzieć o mężczyźnie, patrząc na jego kobietę, tak samo patrząc na jego partię. Jeśli związał się z jakimś tłumokiem, to znaczy, że coś w niej pociąga go poza ewidentną fizycznością. Pomijam sprawę przelotnych romansów, które są oparte wyłącznie na seksie. Bo nawet inteligentny facet może raz czy dwa pójść do łóżka z jakąś pustą ślicznotką. Ale poważniejszy związek to nigdy nie będzie, bo przecież kiedyś z tego łóżka trzeba wyjść i zacząć ze sobą rozmawiać. A w polityce jest trochę jak w małżeństwie. Pokaż mi swojego partnera, a powiem ci, kim jesteś. Nie uznaję czegoś takiego jak „taktyczne sojusze". Może traktuję politykę zbyt serio i dlatego nie mogłabym być politykiem.

# Do czego nie nadają się kobiety

No niestety. Po prostu się nie nadają do polityki. I żadne parytety tu nie pomogą. To zresztą był duży błąd, że zaczęto na siłę wprowadzać kobiety do polityki. Wiele osób podkreślało, że polityka jest taka strasznie brutalna, a panie łagodzą obyczaje. Absolutnie się z tym nie zgadzam. Może tak było w czasach, gdy żona siedziała w domu i czekała, kiedy mąż pensję przyniesie i zrobi jej kolejne dziecko, a ona posprząta, pozmywa i poda mu obiad. Dziś kobiety, które zaczynają gdzieś działać, to już wcale takie łagodne nie są. Co chwilę słyszymy, że dziewczyny kogoś pobiły w tramwaju, skopały bezdomnego czy kogoś okradły. Podobno psychologowie twierdzą, że teraz młode dziewczyny są bardziej agresywne niż chłopcy.

W Sejmie te parytety nie zrobiły niczego dobrego. Bo największa grupa posłanek to takie, których nie widać. A jak się je gdzieś zobaczy, to nawet nazwiska nie zapamięta, takie są bezbarwne. Po drugiej stronie są agresywne ciotki rewolucji, jak posłanka Pawłowicz, Beata Kempa czy Beata Szydło.

Na palcach jednej ręki można policzyć te, które rzeczywiście coś w tym Sejmie robią, a nie są wulgarne ani nawiedzone. In plus wyróżnia się Barbara Nowacka, która potrafi się zachować, a jednocześnie ma wyraziste, zdecydowane poglądy. Ale ona nie potrzebuje żadnych parytetów, żeby przebić się przez tłum miernych mężczyzn. Powinna zrobić wielką karierę. Ale nie wiadomo, czy jej koleżanki pozwolą.

Kiedy premierem została Ewa Kopacz, to zrobiło mi się jej żal, bo ona na premiera się nie nadawała. Zdobyła moją sympatię dawno temu, a ja tak mam, że jak ktoś mi zaimponuje, to musi zrobić jakieś wielkie świństwo, żebym o tym zapomniała. A Ewa Kopacz zaimponowała mi tym, za co ją teraz najzacieklej atakują – sprawą Smoleńska. Ona naprawdę tam pojechała zaraz po katastrofie i podziwiam ją, że to wytrzymała. Oczywiście PiS-owcy nigdy jej nie zapomną, że nakłamała, że wszystko tam było sprawdzone i osobiście dopilnowała sekcji zwłok. Guzik było tam sprawdzone! Ale w nerwach powiedziała i za to ją teraz ścigają.

Niepotrzebnie rzucono ją potem na głęboką wodę i wystawiono na premiera. Nie miała tej charyzmy co Donald Tusk, a to, że ktoś jest dobrym człowiekiem, w polityce nie wystarczy.

Poza tym denerwowało mnie szalenie to, że się natychmiast jako premier otoczyła swoimi koleżankami, przyjaciółeczkami. Trochę za dużo się tych pań wokół niej porobiło. I takie to było babskie, gdy przedstawiała rząd i mówiła: „To taki mój kolega, a to z kolei bardzo dobry człowiek...". No potem okazało się, że nie wszyscy byli tacy fajni.

Na drugim biegunie jest Beata Szydło, która nie jest z mojej bajki, ale nic nie poradzę, że ma u mnie duży plus. W jednym z pisemek widziałam zdjęcie jej domu. Całkiem ładny domek, a w nim piękny, duży piesek i to zdaje się wcale nie aż takiej czystej rasy. A dla mnie, jak ktoś ma psa, to już nie potrafię go tak zupełnie nie lubić. Nawet Marcin Mastalerek z PiS-u jak się pokazał z psem, to na niego popatrzyłam przychylniej. Widocznie każdy człowiek musi mieć choć jedną rzecz fajną. I pan Mastalerek ma – psa. Młoda panna Dudówna ma za to nie psa, tylko fretkę. No ale ta fretka chyba po Pałacu Prezydenckim biegać nie będzie, bo zdaje się, że młoda Dudówna z Krakowa się nie przenosi do Warszawy. A zresztą – co tam! Powiem to – tata panny Dudówny też ma u mnie plus: za to, że pali papierosy. Może jeszcze będą z niego ludzie?

# Jak przetrwać stanik wojenny

D o 1980 roku polityka mnie właściwie
w ogóle nie interesowała. Bo w PRL-u była
tak naprawdę tylko jedna partia i wiadomo było, że albo się człowiek do niej zapisze, albo
nie. Ani ja, ani nikt z mojej rodziny do PZPR-u się
nigdy nie zapisał, więc na politykę żadnego wpływu mieć nie mogliśmy. To po co sobie tym zawracać
głowę?

Zaczęłam się tym interesować dopiero, gdy
powstała Solidarność, która w pewnym sensie budziła moją sympatię. Ale nie przyszło mi do głowy, żeby
się zapisać, bo jednak były tam też takie rzeczy, które mi nie odpowiadały. Przewidywałam, że gdybym
tam wstąpiła, to musiałabym być lojalna i czułabym
się w obowiązku, by robić takie rzeczy, które mi nie
odpowiadały. Musiałabym nawet myśleć to samo, co
inni członkowie Solidarności. Lojalność wobec partii rozumiem tak, jak konieczność lojalności wobec

partnera, któremu się ślubuje. A ja lubię mieć możliwość decydowania wyłącznie w swoim imieniu. Poza tym nigdy nie miałam złudzeń, że jak będzie przewrót i Solidarność obejmie władzę, to będzie cudownie i wspaniale. Wiedziałam, że będzie na pewno inaczej, ale że lepiej... o tym już nie byłam przekonana. I choć wiele osób mi bliskich zaangażowało się w ten ruch, a ja poznałam osobiście paru przywódców, na przykład Jacka Kuronia, to czułam, że ci ludzie nie są typowi. A Solidarność głównie kojarzyła mi się z robotnikami. A to środowisko w ogóle mnie nie ciągnęło. Kibicowałam ich wysiłkom, obserwowałam, ale bez większych emocji. Nie spodziewałam się, że dzięki nim w Polsce będzie raj na ziemi. Do dzisiaj uważam, że u władzy powinni być jednak ludzie wykształceni. Walczenie o słuszną sprawę to jedno, ale tworzenie rządu i władanie krajem to zupełnie już co innego.

Jacek Fedorowicz, z którym się świetnie znałam i który wcześniej nigdy nie działał politycznie i nie zapisał się do partii, powiedział, że Solidarność to pierwsza organizacja, do której się zapisał. Byłam zaskoczona, że to zrobił. Ale on naprawdę uwierzył, że może zmienić świat. Był nawet we władzach okręgu warszawskiego. Bardzo mocno się zaangażował. I chyba po latach trochę tego żałuje, ale przecież wtedy nikt nie umiał przewidzieć, co się naprawdę wydarzy w niedalekiej przyszłości.

Dwunastego grudnia 1981 roku urządziłam w domu małą imprezkę imieninową. Mój mąż był wtedy na tournée koncertowym za granicą. Przyszedł do mnie Janek Jagielski razem z żoną – Małgosią Dąbrowską, która wcześniej była żoną naszego przyjaciela Andrzeja Dąbrowskiego. Świetna kobieta – lekarz radiolog. Bardzo miła, chociaż z Krakowa. No ale cóż...

Była u mnie oczywiście jakaś wódeczka z sokiem, miło się gadało. Czas leciał. Telewizor wyłączyłam, bo wiedziałam, że Janek nie lubi. Jakoś tak po drugiej w nocy towarzystwo się pożegnało i poszli na piechotę do domu, bo mieszkali w sumie niedaleko – w alei Róż.

Ja poszłam spać, a rankiem, jak zawsze za pięć ósma, złapałam za telefon i chciałam zadzwonić do mojej mamy. Zbiegłam na dół do recepcji – bo w naszym bloku były zawsze jakieś ambasady, to i mieliśmy recepcję. Tam panie, które zazwyczaj gadały ze znajomymi przez telefon, mówią, że im się chyba ten telefon zepsuł, bo nie działa. No to ja już się troszkę zdenerwowałam, ale włączyłam radio i okazało się, że mamy stan wojenny. Pierwsze, o czym pomyślałam, to że trzeba do matki lecieć, bo ona na pewno jest cała w nerwach. A po sąsiedzku muszę wpaść do Fedorowiczów, bo przecież Jacek był bardzo zaangażowany w tę Solidarność. I tak jak nie lubię chodzić, tak pobiegłam najpierw na Rozbrat, uspokoić moją matkę, która rzeczywiście była przerażona, a potem do Fedorowiczów. Tam już po mieszkaniu kręciła się cała masa tajniaków i robili rewizję, więc grzecznie się pożegnałam i wróciłam do domu.

Wiedziałam, czego szukali u Jacka, bo on już przewidując, co się może wkrótce zdarzyć, kręcił kamerą materiały o życiu codziennym w 1981 roku, a potem wykorzystał je w tym swoim programie satyrycznym – *Dziennik Telewizyjny*. Ale był na tyle przewidujący, że kamery i nakręconych już kaset nie trzymał u siebie w domu, tylko w bezpiecznym miejscu, w budynku strzeżonym przez milicję, tam, gdzie nie robiono rewizji, żeby nie wystraszyć mieszkających w nim obcokrajowców. Jednym słowem, jego kamera była cały czas schowana w moim mieszkaniu. Tak więc Służba Bezpieczeństwa u Jacka Fedorowicza kamery nie znalazła. Ze złości spalili mu za to jego samochód. To znaczy oczywiście nie wiadomo, kto spalił. Jak to wtedy mówiono: „nieznani sprawcy", którzy na ulicach bili albo w inny sposób uprzykrzali życie tym, których władza niezbyt lubiła.

Parę dni przed świętami wrócił do kraju mój mąż. Przywiózł do domu mnóstwo kiełbasy. Nigdy tyle mięsa nie mieliśmy w lodówce, bo on w każdej knajpie, w której stawali, kupował kiełbasę. Nikt nie wiedział, jak to dalej będzie u nas wyglądać, więc on myślał, że zapanuje straszny głód – jak to na wojnie – i dlatego tak tę kiełbasę wszędzie kupował.

A tymczasem po paru dniach strachu wszystko zaczęło się powoli uspokajać. Jacka Fedorowicza nie zamknęli, tylko co parę dni przychodzili do jego domu i nękali go rewizjami. Ale osiągnęli tylko to, że Pusia – żona Jacka, która do tego momentu trzymała się raczej z daleka od Solidarności, włączyła się w pomoc internowanym i zaczęła pracować przy rozdawaniu paczek z darów przy kościele Świętej Anny. To ona pierwsza zaczęła mówić o tym, co było, nie „stan wojenny", tylko „stanik wojenny", bo to groźnie wyglądało, ale Polacy się do tego błyskawicznie przystosowali.

A przy tych darach rozdzielanych w kościele też szybko zaczęły się różne historie. Pusia opowiadała, że przyjeżdżały tam panie w eleganckich futerkach, przed wejściem zdejmowały futerka i wrzucały na grzbiet jakąś oklej-bidę, i odbierały paczki dla ubogich internowanych. Potem ktoś się zorientował i próbowano to ukrócić, ale zawsze ktoś usiłował się wkręcić. Ludzie to jednak są paskudni.

A ja ze stanika wojennego miałam jedną korzyść, że była godzina milicyjna. Miałam wtedy takiego psa, który bez powodu rzucał się na inne psy i je gryzł. Teraz mogłam wreszcie wyjść z nim spokojnie w nocy, gdy nikt już po ulicach nie spacerował. Bo ja lubię wszystkie pieski i bardzo się bałam, że mój pogryzie jakieś inne biedne zwierzę. Tak się akurat złożyło, że vis-à-vis mojej ulicy jest siedziba MSW i tam stali żołnierze z karabinami. No i mój piesek wyczuł kota, który spacerował na terenie MSW. Piesek szarpnął smycz i wyrwał mi się w stronę tych żołnierzy. Przecisnął się przez jakąś dziurę w ogrodzeniu i poleciał. O, Jezu! Podbiegłam do tego płotu, złapałam za sztachety i zaczęłam wrzeszczeć: „Bimber! Bimber!". Natychmiast podlecieli jacyś żołnierze i zaczęli pytać, czy jestem pijana. Czy coś mam do sprzedania? A ja, że nie. Że boję się tylko, żeby mi nie zastrzelili psa, który wparował im na posesję. Chyba nie wierzyli, bo patrzyli na mnie i ciągle pytali, czy jestem uchlana. I wtedy podczołgał się mój piesek. Nie wiem, czy dopadł tego kota. Mam nadzieję, że nie. Ale był z siebie bardzo zadowolony. – To jest Bimber – przedstawiłam im swojego pieska. A potem wzięłam go na smycz i odciągnęłam do domu.

# Jak się nie przyjaźnić z kobietami

**K**iedyś miał powstać w ZAiKS-ie klub saty-ryków. Dostałam zaproszenie na zjazd za-łożycielski, no to poszłam. Odbywało się to w jakiejś olbrzymiej sali. Przyszło ponad siedemset osób. W tym tylko trzy kobiety: Stefania Grodzieńska, Agnieszka Osiecka i ja. Reszta to byli sami faceci. Dla mnie to raj, bo mnie nigdy do kobiet nie ciągnęło. I nie mam tu na myśli jakichś lesbijskich skłonności, tylko w ogóle. Nigdy żadnej przyjaciółki nie miałam, bo zawsze od kobiet mnie odrzucało. Nawet w szkole nie miałam żadnej koleżanki. Jeżeli już, to z chłopa-kami bardziej się kumplowałam. Baby zawsze mnie strasznie denerwowały. I zresztą do tej pory mnie de-nerwują. Jest bardzo mało kobiet, które lubię. W drugą stronę też to działa. Kobiety często mnie nie znoszą.

Może dlatego, że ja zupełnie nie mam pamię-ci do twarzy. Ludzie myślą, że zadzieram nosa, bo im nie odpowiadam na „dzień dobry". A mi się po prostu wydaje, że tę osobę widzę pierwszy raz w życiu. Zdarzało się, że spotkałam trzy lata po szkole jakąś koleżankę z klasy. Ktoś za mną na ulicy woła: „Ala, Ala!" – bo ja używałam przez całe dzieciństwo imienia Alicja – a ja nic. Patrzę na tę gębę i nikogo mi ona nie przypomina. Co mam powiedzieć. Zapytać: „Przepraszam, czy my się znamy?". To głupio. Ja jak jestem gdzieś w towarzystwie, to nie wiem, kto jest kim. Muszę rzeczywiście często się z kimś spotykać, żeby go zapamiętać. Najgorsze, że nie tylko nie mam pamięci do twarzy, ale też i do nazwisk. Może dlatego, że wszystkie moje kontakty towarzyskie zaczynały się od spraw zawodowych. Większość tych ludzi, z którymi pracowałam, mnie lubiła, to się wyczuwało. No to i ja ich lubiłam. Miałam szczęście do fajnych ludzi. Ale to byli sami faceci.

Z jednym wyjątkiem.

Pusia jest żoną Jacka Fedorowicza. I tak jak kobiet nie znoszę, tak w Pusi – czyli właściwie w Annie – po prostu się towarzysko zakochałam. To jest pani cudowna, wręcz znakomita. A to dlatego, że jest inteligentna, ma poczucie humoru i mimo że ma dziecko, to nigdy mi o swojej córce nie opowiadała. Większość kobiet – niestety – nawet jeśli na początku się pilnuje, to potem tak czy inaczej zejdzie na temat swojego dziecka: jakie to ono genialne, jak się wspaniale mu pieluchy zmienia albo jakie akurat to dziecko ma kłopoty. Nawet jeśli jakoś trzymają się w ryzach jako matki, to puszczają im hamulce, gdy rodzą się wnuki. I zaraz korzystają z każdej okazji, żeby wyciągnąć zdjęcie wnusia srającego na nocniczku albo łażącego gdzieś w pieluszce czy na golaska... A mnie to w ogóle nie interesuje. Po prostu zero! Uważam, że dziecko ma swoich rodziców i to ich musi oczywiście interesować, ale absorbować kłopotami swojego dziecka innych dorosłych ludzi to jest wręcz w złym tonie.

Pusia i Jacek mają już dorosłą córkę i na pewno ją bardzo kochają i są z niej dumni, ale na szczęście nigdy nie uważali za stosowne, by katować mnie takimi opowieściami. I chwała im za to!

Pusia jeszcze wtedy paliła papierosy, za co miała u mnie dodatkowy plus. No, niestety, teraz rzuciła, a jeszcze zaangażowała się mocno w jakąś promocję zdrowej żywności. Ale w dalszym ciągu uważam, że Pusia jest znakomita.

Oczywiście, jak to u mnie – kiedy wspólnie z Jackiem pracowaliśmy, to się spotykaliśmy także na gruncie prywatnym. Gdy się rozeszliśmy zawodowo, to nasze kontakty zdecydowanie osłabły.

Jeśli chodzi o kobiety, to jak już wspomniałam, w moim środowisku były, oprócz mnie, tylko dwie.

Z Agnieszką Osiecką poznałam się jeszcze w STS-ie, ale nie zapałałyśmy do siebie sympatią.

Ona wiedziała, że ja piszę słuchowiska, ja wiedziałam, że ona pisze piosenki, ale z jednym wyjątkiem nigdy nie miałyśmy wspólnych spraw zawodowych. Łączyło nas chyba to, że obie wolałyśmy otaczać się facetami. Ona trochę lepiej dogadywała się z kobietami, przyjaźniła się z Marylą Rodowicz i kilkoma

innymi piosenkarkami. Tylko raz się zawodowo spo-
tkałyśmy z Osiecką. Ktoś u mnie zamówił piosenkę.
Napisałam ją, ale od początku czułam, że była do dupy.
Wtedy pomyślałam, że może Agnieszka ją napisze?
Zadzwoniłam do niej i spotkałyśmy się w „Szpilkach".

— Pani Agnieszko — zaczęłam, bo my byłyśmy
jeszcze wtedy na „pani". — Może pani to napisze, bo
mnie coś ta piosenka nie idzie. Muzyka mi się nie podoba i nie mam dobrego pomysłu.

No i Agnieszka napisała tę piosenkę.

Połączył nas też jeden facet. On był jej mężem,
a ja z nim miałam kiedyś męsko-damską przygodę. Był
reżyserem, bardzo przystojnym, ale ona traktowała go
w najlepszym razie jak swojego sekretarza, a w naj-
gorszym — jak szmatę. Czasem Agnieszka wpadała do
SPATiF-u i kierowała się wprost do pana Frania, który
był tam szatniarzem, a czasem sprzedawał dolary czy
bony. Był w SPATiF-ie takim człowiekiem instytucją.
Wszyscy go znali.

— Panie Franiu — zapytała Agnieszka Osiecka
podniesionym głosem, żeby wszyscy ją dobrze słyszeli
— czy tu nie została gdzieś moja jesionka?

Chodziło jej oczywiście o męża. Bo on się nazywał Wojtek Jesionka.

Bardzo ją to śmieszyło, gdy tak nim pomia-
tała. Jego pewno trochę mniej, bo małżeństwem byli
bardzo krótko.

Stefanię Grodzieńską poznałam osobiście,
kiedy miała już ponad siedemdziesiąt parę lat. Teraz
już nie ma ludzi, którzy mają więcej lat ode mnie, ale

ona była dużo starsza i dla mojego pokolenia zawsze była postacią legendarną.

W SPATiF-ie, gdzie byłam stałym bywalcem, fotograf Marek Karewicz, który robił zdjęcia wszystkim jazzmanom, znana wówczas postać, na mój widok zwykł wołać na całą salę: „O! Jest nasza Grodzieńska".

To oczywiście był taki żart, bo Stefania Grodzieńska to synonim kobiety, która pisze skecze i numery kabaretowe.

W końcu, gdy wreszcie i ja poznałam panią Grodzieńską, zachwyciłam się nią i polubiłyśmy się szalenie. Poznał nas ze sobą Artur Andrus. Poszłam z nią zrobić wywiad. Mieszkała blisko mnie, na ulicy Słonecznej, vis-à-vis tygodnika „Nie". Byłam bardzo przejęta. Usiadłyśmy razem, chwilę sobie normalnie porozmawiałyśmy, a potem włączyłam magnetofon. I tak nagrywałam dwie godziny, ale gdy chciałam po powrocie do domu odsłuchać ten wywiad, to okazało się, że do dyktafonu nie włożyłam kasety.

Nic takiego w sumie się nie stało, bo całą rozmowę odtworzyłam z głowy. Zresztą i tak głównie gadałyśmy tylko o Arturze Andrusie, którego obie uwielbiałyśmy. A raczej w ogóle o mężczyznach, bo okazało się, że miałyśmy podobny gust. Swego czasu byłyśmy jednakowo zafascynowane Januszem Minkiewiczem, z którym Stefania Grodzieńska przez jakiś czas pracowała. To było jeszcze, zanim ja poznałam Minkiewicza. Ona z nim jeździła po Polsce z programem estradowym. Tylko martwiła się, że on tak dużo pije i bała się, że kiedyś zawali występ.

Drugim mężczyzną, który nam obu się podobał, był Wojciech Karolak. Gdy Stefania go poznała, to powiedziała mi, że gdyby nie to, że on już jest moim mężem, to na pewno by się koło niego zakręciła. I akurat wiem, że to nie był żart. Gdyby tylko chciała, toby mi tego Karolaka odbiła.

Trzecią naszą wspólną fascynacją był Artur Andrus.

Artur troskliwie się nią zajmował, bo jest z natury bardzo opiekuńczy. Ale nie na zasadzie, że starszą panią trzeba prowadzić pod rękę, tylko normalnie – głównie woził ją na spotkania autorskie.

Ja też bardzo lubię jeździć z Arturem. Bo ja jestem straszna gapa, wszystko zapominam, mylę pociągi. A jak jadę z Arturem, to niczym nie muszę się martwić, bo wiem, że on nad wszystkim czuwa.

Później, gdy z Arturem jeździłam na spotkania autorskie do Łodzi, to zawsze zabieraliśmy ze sobą Stefanię Grodzieńską, bo ona kiedyś w Łodzi mieszkała i wciąż tam miała swoją serdeczną przyjaciółkę, którą chciała odwiedzać.

Gdy Stefania na ostatnie lata życia przeniosła się do Domu Artystów Weteranów Scen Polskich w Skolimowie, Artur często do niej jeździł i namawiał mnie, żebym też choć raz z nim do niej pojechała.

Nie chciałam. Wiem, że wiele osób ma mi to za złe, ale nie jestem sentymentalna. Nie odwiedzam w szpitalach czy domach starców ludzi, z którymi nie ma już kontaktu, ani nie chodzę na pogrzeby. Uważam, że jak ktoś umrze, to raczej już z nim nie pogadam, a modlić się nad grobem nie będę. Ja nie jestem z tych, którzy biegają na cmentarze, żeby się pokazać.

Ze Stefanią podobno przez ostatni rok było już bardzo źle. Artur Andrus jeździł do Grodzieńskiej do Skolimowa i często przyznawał potem, że ona go nawet nie poznawała. Któregoś razu zadzwoniła do niego córka Stefanii i mówi: „Z mamą już jest bardzo niedobrze. Byłam u niej wczoraj w Skolimowie i ona mówi: »Słuchaj, ty wiesz, kto mnie odwiedził? Nie zgadniesz... Irenka Santor! Siedziała u mnie chyba dwie godziny. Tak sobie miło rozmawiałyśmy...«".

Jej córka myślała, że mamie to się jakoś przyśniło, ale Artur zadzwonił do Skolimowa i dowiedział się, że rzeczywiście Irena Santor odwiedziła Grodzieńską i przegadały ze sobą pół dnia. Ucieszył się, że Stefania jest w lepszej formie i pojechał tam zaraz do niej. A ona, jak go zobaczyła, to zaniepokoiła się i pyta: „Dzień dobry, panie doktorze. Jakie są wyniki badań?".

Nie poznała go.

A wkrótce potem umarła. Na pogrzeb oczywiście nie pojechałam, bo pogrzebów nie znoszę. Z przymusu, bo nie wypadało inaczej, byłam na pogrzebie ojca i matki. Ale to był dla mnie koszmar. Wolę zapamiętać człowieka, jak był żywy, gdy można z nim jeszcze było normalnie się dogadać. Łażenia na cmentarze nie uznaję. Nie widzę w tym żadnego sensu.

# Jak można mnie łatwo załatwić

D o różnych programów zapraszają mnie przeważnie w jednym celu – żebym powiedziała coś ostro, kontrowersyjnie, złośliwie. Z tego jestem podobno znana, choć przecież ja się staram mówić – w moim mniemaniu – obiektywnie i szczerze.

Ale mam taką naturę, że jak mnie ktoś wzruszy, no to już potem nie potrafię mu dołożyć.

Robiłam kiedyś cotygodniową audycję w radiowej Jedynce z Małgosią Raduchą i miałam taki zwyczaj, że zawsze, w każdym tygodniu, kończyłam, dokładając ostro Piotrowi Rubikowi. Nie znałam go osobiście, ale strasznie mnie wkurzał i chciałam mu jakoś przypieprzyć.

Aż któregoś razu odbieram telefon i dzwoni kobieta. To moja dawna znajoma, która realizowała programy dla *Podwieczorku przy mikrofonie*. Kilka razy mnie kiedyś tam zaprosiła, pisałam też dla nich teksty – stąd się znamy.

– Pani Mario – mówi. – Chciałabym pani bardzo podziękować, że pani tak zawsze ładnie mówi o moim synu.

– O, Matko Boska! – Zdenerwowałam się. – O jakim pani synu mówię?.

– No o Piotrze. O Piotrze Rubiku. Bo to mój syn jest.

Nie wiedziałam, co powiedzieć, więc odparłam, że bardzo mi miło. Ale zatkało mnie, bo nie mogłam stwierdzić, czy ona udaje, czy rzeczywiście nie zrozumiała, co ja o jej synu opowiadam. A przecież pamiętałam, że taka głupia wcale nie była.

Akurat przypadek zrządził, że cztery dni później wybrałam się z Krzysiem Kowalewskim do jakiegoś nowo otwartego klubu. Patrzę, a przy drugim stoliku siedzi Piotr Rubik. Widziałam go tak oko w oko pierwszy raz w życiu. On mnie też zobaczył, poderwał się i żegluje przez tłum w moją stronę. Jezu, aż zesztywniałam, bo nie lubię takich sytuacji. Pomyślałam, że zaraz będzie awantura, bo matka, pewnie zakochana w synku, mogła nie zrozumieć, co ja mówię – baby są generalnie głupie – ale on na pewno musiał dobrze wiedzieć, co ja tam opowiadałam. Więc siedzę, tak trochę bokiem, udając, że go nie widzę, a on podchodzi.

– Wiem – mówi – że pani już z moją mamą rozmawiała, pani Mario. Ja naprawdę chciałem bardzo podziękować za to, że pani tak o mnie fajnie mówi.

No i stało się. Za tydzień przychodzę do studia. Nagrywamy kolejny program. Kończymy i Gosia Raducha pyta zdziwiona: „Co to? Nie ma nic o Rubiku?". A ja odpowiedziałam: „No nie ma. Nie wypada mi". Potem się zastanawiałam, że on musiał wiedzieć. Po prostu musiał. Ale zachował się bardzo inteligentnie, bo to jest świetna metoda powiedzieć, że bardzo dziękuje, że tak dobrze o nim mówię. No i oczywiście ja już nigdy więcej o nim nic nie powiedziałam. Ani dobrego – bo nie było o czym mówić, ani złego, bo mi nie wypadało.

Podobnie było z Kukizem.

Nie znałam go zupełnie, ale wiedziałam, że on kiedyś był bardzo popularny. Śpiewał różne piosenki i niektóre nawet bardzo mi się podobały. On sam chodził w takich żołnierskich butach i wyglądał całkiem, całkiem. Ale potem zwariował.

Marcin Meller, który prowadzi program *Drugie śniadanie mistrzów*, w przeciwieństwie do obowiązującej w telewizji zasady, że zaprasza się takich ludzi, żeby się na antenie pożarli, na ogół tak zawsze dobierał gości, by się ze sobą dobrze czuli i żeby się lubili. Kukiza nigdy tam nie widziałam, ale w końcu Meller postanowił go zaprosić. Zadzwonił do mnie wcześniej i pyta: „Pani Mario, będzie dziś Paweł Kukiz. Czy pani go lubi?".

Odpowiedziałam zgodnie z prawdą: „Wie pan... Osobiście człowieka nie znam, ale powiem szczerze: nie jest to moja sympatia, nie lubię go. Jestem do niego uprzedzona po tym, co publicznie wygaduje. No nie lubię drania, i tyle!".

Meller się mocno zmartwił. „Pani Mario, ja panią strasznie proszę, żeby takiej niechęci mu nie okazywać. Ja też za nim nie przepadam, ale zależy mi, żeby wszystko dobrze poszło i żeby nie pokazywać zupełnie niepotrzebnych osobistych animozji".

„Zna mnie pan – powiedziałam – potrafię coś palnąć. Ale postaram się być grzeczna. Będę dziś nieco sztywniejsza, i tyle".

Program nagrywaliśmy w budynku przy Marszałkowskiej róg Hożej, gdzie TVN ma swoje studia programu porannego. Za każdym razem przychodzę wcześniej, bo babę to muszą zawsze dłużej malować i pudrować, a jestem tam jedyną kobietą. Po pudrowaniu wyskoczyłam jeszcze na papieroska. No i tak stoję przed budynkiem, bo pogoda była wyjątkowo bardzo ładna, a tu patrzę – idzie Kukiz. Już chciałam się odwrócić, ale on podbiega, stuka tymi swoimi ciężkimi wojskowymi buciorami i... Bach! pada przede mną na kolana.

„Och, pani Mario! – jęczy. – Wreszcie panią poznałem. A ja panią tak uwielbiam! Wychowałem się na pani audycjach w Trójce. A słuchałem jeszcze wcześniej ITR-u!".

No i co ja miałam teraz zrobić? Ludzie na spotkaniach często mi prawią komplementy, w które kompletnie nie wierzę, ale to, co powiedział ten facet, mnie po prostu wzruszyło. Oczywiście nie powinnam się tym przejmować, tylko walić to, co miałam zamiar mu powiedzieć. Ja jednak tak nie potrafię. To jest stara szkoła, a ja jednak jestem baba. Zaraz zaczyna się program i nie mogę tak od razu naskakiwać na niego. Myślę – poczekam aż się program zacznie i wtedy mu powiem.

Ale mu nie powiedziałam.

Program fajnie poszedł. Kukiz parę razy mnie wkurzył, ale się nie odzywałam. Po prostu nie atakowałam go. I to nie dlatego, że Meller mnie o to poprosił, ale on tak się w sumie w porządku wobec mnie zachował, że już nie wypadało mu dokopać.

# Jak nie zaśmiecać sobie głowy zbędnymi informacjami

J a pamiętam tylko jedną datę: 1410. No i datę swojego urodzenia, niestety, która jest taka jak mojego męża. Są pomiędzy nami tylko dwa miesiące różnicy. On jest starszy, czyli tak jak w małżeństwie być powinno. Ja jestem z sierpnia, on z maja.

To są trzy miesiące?

No i co z tego? Uprzedzałam, że z matematyki jestem słaba.

Kiedyś, na początku lat sześćdziesiątych, przyjechał do Polski dziennikarz z Bułgarii. Byłam młodą pracowniczką radia, więc kazano mi się nim opiekować i pokazać mu Warszawę. Okazał się bardzo ciekawski. O wszystko mnie pytał. A ja, oczywiście, nie miałam pojęcia, co mam mu odpowiadać. Spacerowaliśmy po Starówce, a on pokazywał palcem kolejne budynki: „Co tu jest? A tu? A kiedy wybudowano tę kamienicę?". Zmyślałam coś na poczekaniu. A gdy zapytał o datę wybudowania jakiegoś domu przy placu Zamkowym, bez zastanowienia wypaliłam: 1410.

Był zachwycony: „Ależ ma pani pamięć!".

Wszystko notował w brulionie. Nie wiem, co potem napisał po powrocie do tej swojej Bułgarii, ale może lepiej, że nie wiem.

Ja po prostu nie pamiętam żadnych dat. Ani kiedy poszłam na studia. Ani kiedy zaczęłam pracę w radiu. Ani kiedy wzięłam ślub z Karolakiem. Nic. Artur Andrus, który jest chyba jedyną osobą, o której mogę powiedzieć, że jest moim przyjacielem, gdy pisał ze mną książkę (*Każdy szczyt ma swój Czubaszek*), błagał mnie, żebym podała jakąś datę. Jakąkolwiek, żeby uwiarygodnić to, co mu opowiadałam. Tak mnie męczył, że w końcu powiedziałam: „No dobrze! Pamiętam jedną datę!". Wziął notes, długopis. I popatrzył na mnie z nadzieją. Powiedziałam: „1410. To jedyna data, którą pamiętam, ale zabij, nie wiem, o co chodzi".

Był chyba trochę rozczarowany.

# Jak dobrze być złośliwym

L ubię ludzi złośliwych i myślę, że gdybym była odważniejsza, to też bym była złośliwa. Niektórzy mówią, że jestem złośliwa, ale to nieprawda, bo człowiek złośliwy potrafi w oczy wszystko wywalić. A ja nie mam odwagi, by komuś wprost powiedzieć coś niesympatycznego. Oczywiście czasem mi się to udaje, ale to tak jakoś niechcący. A potem się strasznie peszę. Człowiek złośliwy nigdy się nie peszy.

Tak się jakoś składa, że złośliwcy, których lubię, to głównie mężczyźni. Może dlatego, że ja, jak już pisałam, w ogóle wolę mężczyzn. Lepiej mi się po prostu z nimi łapie kontakt. Zawsze tak było. Z kobietami jakoś nie potrafię rozmawiać, bo prędzej czy później temat schodzi na dzieci. Jak tam synek albo wnusio. A ja tego nie znoszę.

Mężczyźni o tym nie mówią. W ogóle mężczyźni mi imponują. Po pierwsze są zdecydowanie lepsi w pracy i umieją być złośliwi, a przy tym nie muszą być piękni, żeby mieć w sobie coś interesującego. Niech będzie nawet paskudny kurdupel, jak mój ukochany

Woody Allen, który urody na pewno nie ma zabójczej, a facet mi szalenie imponuje. To ważne, że u mężczyzn uroda jest na drugim miejscu, bo u kobiet – niestety – jest ważna. I to mnie często denerwuje. Śliczne i mądre kobiety mnie wkurzają, co zrozumie każda baba, która ma urodę tak nienachalną jak ja. Na te brzydkie mężczyźni nie zwracają uwagi, a o głupich nawet nie chce mi się gadać.

To, czego nigdy nie zazdrościłam nikomu, ani kobietom, ani mężczyznom, to młodość. Sama kiedyś byłam młoda, więc wiem, że młodość wcale nie jest taka cudowna i generalnie jest przereklamowana.

Ze złośliwych mężczyzn, których poznałam w swoim życiu, jednym z najciekawszych jest Marek Groński. Podejrzewam, że nie ma zbyt wielu przyjaciół, bo to szalenie inteligentny człowiek, a takich mało kto lubi. Poznałam go zawodowo – razem pracowaliśmy w „Szpilkach". Miałam okazję też poznać jego żonę. Kilka razy byliśmy z Karolakiem u nich w domu.

Marek jest chodzącą encyklopedią. Wie wszystko, a nawet więcej. Szalenie mi to imponuje, bo choć ja też się czymś interesuję, na przykład kabaretem, to jak ktoś mnie zapyta o to, co tu było w Warszawie przed wojną, to jakieś nazwy słyszałam, ale nigdy nie miałam takiej pasji, by o tym czytać, żeby to zgłębiać. A Marek to człowiek, który o przedwojennym kabarecie może opowiadać godzinami. Zna wszystkie nazwiska i chyba wszystkie skecze. A przecież nie może tego pamiętać, bo jest moim rówieśnikiem.

Ale główną cechą Marka, którą w nim sobie cenię najwyżej, jest złośliwość. On potrafi być naprawdę szalenie złośliwy wobec pewnych osób, co mi się bardzo podoba, bo uważam, że większość ludzi na to zasługuje. A przy tym nigdy nie przeklina, co mi się – niestety – zdarza aż zbyt często. Przez tę swoją cechę – eleganckiego prawienia okrutnych złośliwości, Marek wśród znajomych miał ksywkę „Aniołek ścierwo". Bo twarz miał cherubinka, otoczoną lokami i takie duże oczy sarny. To znaczy oczy ma pewno nadal, ale może mu się już zmniejszyły? Mnie na starość się w każdym razie oczy zmniejszyły. A nigdy nie miałam bardzo dużych oczu i pozazdrościłam Krzysztofowi Ibiszowi, który zdecydował się na operację plastyczną. No i ja też poszłam kiedyś zrobić sobie taką operację. Mówiłam, że jeśli kiedyś żałowałam, że nie mam wnuków, to tylko wtedy po tej operacji. Bo nie było nikogo, kto by mógł mnie spytać: „Babciu, a dlaczego masz takie wielkie oczy?". Niektórzy za to złośliwie po tej operacji mówią mi, że nareszcie widać, że mam jakieś oczy. Choć ja akurat żadnego efektu nie widzę. Może dlatego, że nie mam w zwyczaju się sobie przyglądać?

Spotykaliśmy się z Markiem codziennie, gdy razem pracowaliśmy. Ale praca w „Szpilkach" właściwie głównie polegała na tym, że się przychodziło i potem się siedziało w kawiarni na placu Trzech Krzyży. Rano piło się koniaczek... Choć Marek chyba w ogóle był niepijący. W każdym razie nigdy nie widziałam, żeby on coś pił. Poza tym papierosów nie palił, tylko fajkę, która miała cudowny zapach. Ja w życiu fajki nie paliłam, ale uwielbiałam jej zapach. Wtedy można było w kawiarni normalnie palić, więc ja oczywiście paliłam te swoje papierosy, a Marek tę cudowną fajkę. Właściwie urzędowaliśmy w tej kawiarni, a nie w redakcji. Mieliśmy swój stolik, tam już panie kelnerki wiedziały, co zamawiamy. A my siedzieliśmy i gadaliśmy. A Marek bardzo często źle o kimś mówił. Tylko on potrafił powiedzieć to także komuś w twarz, co mi szalenie imponowało. Umiał na przykład bardzo ostro ściąć się z Jankiem Pietrzakiem, którego także bardzo lubiłam, ale jak mówił jakieś głupoty, to nie potrafiłam mu wygarnąć. Nawet nie dlatego, że jestem fałszywa, tylko po prostu w oczy nie umiem mówić tego, co myślę. Mam jakieś hamulce, których Marek Groński nigdy nie miał.

# Jak dać się nabrać internetowi

**K**omputer to dla mnie po prostu maszyna do pisania, a internet to co najwyżej taka encyklopedia, żeby sobie coś przypomnieć. Ale żeby czytać cudze teksty czy tak zwane blogi? Ja w ogóle nie mam w sobie takiej ciekawości, by ekscytować się tym, co napisała pani X. Nie interesuje mnie nawet to, co piszą Anna Mucha czy Kasia Cichopek. To pewno bardzo niedobrze, że nie jestem osobą ciekawską, ale trudno.

Trzeba jednak czasem zarabiać pieniądze, więc gdy zaproponowano mi, żebym była jurorką konkursu na Blog Roku, to się zgodziłam. Powiem wprost – połaszczyłam się na kasę. Kiedy mnie kuszono, to wymieniano nazwiska innych bardzo znanych osób, między innymi pani Jolanty Kwaśniewskiej, więc domyślałam się, że mogę się spodziewać sporej sumki. A rachunki przecież z czegoś płacić trzeba. Pieniądze powinny być duże, bo roboty też miało być całkiem sporo. Każdy z nas – a jurorów było dwunastu – dostał do przeczytania co najmniej trzydzieści blogów ze swojej kategorii. Zaraz się pochwaliłam tym Arturowi Andrusowi: „Słuchaj! No wreszcie chyba jakąś dobrą chałturę poderwałam! Jest taki konkurs i mam być w jury, gdzie jest też pani Kwaśniewska!".

Na to Artur, który jest naprawdę dużo inteligentniejszy ode mnie, od razu powiedział: „Wiesz, jak jest tam Jolanta Kwaśniewska, to pewnie będzie wszystko za darmo".

Ja oczywiście w to nie uwierzyłam. I potem tak niby żartem, gdy do mnie zadzwonili z tego konkursu, zapytałam panią organizatorkę: „Ja tak, wie pani, żartobliwie spytam... Czy my jakieś pieniądze za to jurorowanie dostaniemy?".

Bo ja nigdy nie mam w zwyczaju pytać o pieniądze, zaraz jak ktoś mi proponuje jakąś pracę. Najczęściej się zgadzam, a potem dopiero zastanawiam, ile za to dostanę, choć pracować za darmo nie znoszę. Nigdy też nie piszę ot, tak sobie, bez zamówienia. Przez pięćdziesiąt lat nie napisałam niczego do szuflady z myślą, że może komuś to wyślę, do jakiejś redakcji, radia czy telewizji. Nigdy. Dopiero gdy dostanę zamówienie, to ciągnę się za kołnierz (bo pracować nie lubię), wstaję o szóstej rano, żeby szybciej mieć to już z głowy, siadam na podłodze po turecku, kładę na kolanach laptop. I piszę.

No i oczywiście, jak się zapytałam o pieniądze za jurorowanie w tym konkursie na Blog Roku, to okazało się, że to wszystko jest honorowo.

O, matko... ale już wycofać się z tego nie wypadało. A zresztą może i wypadało, ale ja tak nie potrafię. No i trudno. Już z małym zapałem nie ukrywam – zabrałam się do czytania tych blogów.

I wkurzyło mnie to, że najbardziej podobał mi się blog pisany przez babę.

Jeszcze pracując w radiu, czasem miałam takie spotkania ze słuchaczami i prawie zawsze padało tam takie durne pytanie: „Czy lepiej piszą kobiety, czy mężczyźni?".

Mówiłam, że ja zdecydowanie wolę, jak piszą faceci. A już strasznie nie lubię tak zwanej kobiecej literatury. No nie cierpię tego. W ogóle myślę, że do wszystkiego lepsi są mężczyźni. Jestem przekonana o ich wyższości nad kobietami. Feministką na pewno bym nie została.

Musiałam przeczytać tych blogów już sporo i pamiętam, że przyszłam do męża i powiedziałam: „Kurczę, nie pasuje to do mojej teorii, że mężczyźni zawsze piszą lepiej, bo najlepszy zdecydowanie blog pisze jakaś baba".

Nie wiedziałam, kto to jest, bo wszystkie te blogi były pisane pod jakimiś pseudonimami, co się w internecie nazywają „nicki".

Z wielką niechęcią, ale sprawiedliwie, w swojej grupie musiałam przyznać główną nagrodę kobiecie. Ale wciąż nie wiedziałam, kto to jest. Finał się odbywał w Teatrze Polskim. Jak przyszło do mojej kategorii, to myślę sobie: „Zaraz zobaczę tę babę". Już sobie wyobrażałam, że na pewno jest brzydka jak jakiś kaszalot, skoro tak dobrze pisze. A tu, gdy czytam, kto wygrał, na scenę wychodzi... facet.

Aha!

Więc radość to była dla mnie wielka. Wręczając mu nagrodę, powiedziałam, że dodatkowo się cieszę, że jest facetem. Bo nie ukrywam, że zmartwiłam się, że najlepiej moim zdaniem pisała blog kobieta, a tam parę tych wpisów czytałam. A to się okazał facet i to całkiem nie taki młody, już raczej dorosły, chyba koło czterdziestki. I naprawdę świetnie pisał jako kobieta. Było to tak fajne, dowcipne i ciekawe, że już bym mu dała tę nagrodę, nawet jakby rzeczywiście był babą. Ale na szczęście okazało się, że moja intuicja mnie nie zawiodła i teraz mam dowód na to, że najlepiej piszą faceci.

Jedyne, co mi przeszkadzało, to to, że robota była okropna, i najgorsze, że zupełnie za darmo, czego nie ukrywam – nie lubię. Ale już trudno. Poszło! Nie ma co się nad sobą użalać.

# Jak wymyślić całego Kazia

Jedyne, czego żałuję w swoim długim życiu, to to, że nie byłam kimś innym. Zawsze zresztą tak miałam i dlatego bohaterowie moich słuchowisk tak bardzo się ode mnie różnili. A najbardziej chyba Kazio. Bo był inteligentny, sympatyczny i empatyczny. Facet, którego nie można – w przeciwieństwie do mnie – nie lubić. Mimo to, a może właśnie dlatego, stale go w coś wkręcałam. Dlaczego? Dla zabawy. Mnie to w każdym razie bawiło. Słuchaczy podobno też. Tylko jego samego średnio. I to właśnie cały Kazio. Cały on!

O Wojtku Pokorze, który był Kaziem, rozmawiałam niedawno z pewnym młodym człowiekiem, który pisze o nim książkę. Powiedziałam mu, że szalenie się lubiliśmy i był najważniejszą postacią moich słuchowisk. Spędzaliśmy ze sobą mnóstwo czasu. Piliśmy w SPATiF-ie wódkę całą ekipą, ale Wojtek to tak napił się raczej towarzysko. Duszą towarzystwa był zawsze Jurek Dobrowolski. On podrzucał tematy do rozmowy i zawsze jakoś tak się działo, że Wojtek był

robiony w konia. No po prostu cały Kazio! Ponieważ
się spotykaliśmy właściwie codziennie, to nasze powiedzonka i żarty w sposób naturalny trafiały później
do słuchowiska. Ja to tylko zapisywałam i nigdy mi
tego Jurek ani aktorzy nie zmieniali. Oni po prostu
uznali, że piszę dobrze. I tyle!

Ja z kolei, choć byłam zawsze przy nagraniach, to nigdy ich nie pouczałam. Nie mówiłam:
„Wojtek, powinieneś to powiedzieć inaczej" czy „Irena,
to zupełnie nie tak". Ja się nigdy nie mieszałam do takich rzeczy. Od tego był reżyser – Jurek Dobrowolski,
zresztą sam przecież był świetnym aktorem. Dlatego ja na tych nagraniach bywałam tylko z powodów
towarzyskich. Po prostu lubiłam tych ludzi. Nigdy
też podczas całej mojej pracy w radiu nie zdarzyło
mi się, żeby ktoś mi się mieszał do tego, co ja pisałam. Przekonałam się o tym, że nie zawsze tak jest,
gdy raz Marcin Wolski namówił mnie, żebym napisała coś dla wydawanego w Łodzi satyrycznego
pisma „Karuzela". Oczywiście sama niczego im nie
zaproponowałam, bo ja nigdy nie wychodzę z taką
inicjatywą. Zadzwonili więc do mnie i zamówili
tekst. Potem przysłali wydrukowaną gazetę i wtedy się wkurzyłam. Zazwyczaj kompletnie mnie nie
interesuje, co się dzieje z moimi tekstami. Swoich
książek, po napisaniu, już nigdy nie czytam. Tak jak
i tekstów w gazecie. Nie słucham skeczy radiowych.
Ale tym razem to przeczytałam i dostałam szału. Po-
zmieniali mi słowa, i to dość okropnie. Przeczytałam
na przykład w „swoim" tekście słowo „cholercia!". No,

Jezu! Ja bym w życiu nie użyła słowa „cholercia"! To jest coś okropnego.

Myślę, że sukces moich słuchowisk radiowych polegał na tym, że były pisane językiem potocznym i pasującym do aktorów, którzy te audycje nagrywali. Do dzisiaj spotykam ludzi, którzy mówią, że mają wciąż nagrane te audycje z Kaziem. Nie chcę się chwalić, że byłam taką świetną pisarką, bo to nieprawda, ale dzięki doskonałym aktorom i ich pracy udało nam się osiągnąć sukces.

# Jak przegrywać z Wikipedią

**S**potkania autorskie zazwyczaj mam w bibliotekach. I zawsze zaczynają się tak samo: pani dyrektor zapowiada, z kim będzie rozmowa, czytając wydrukowany z Wikipedii biogram. Brzmi to mniej więcej tak: „Witamy panią Marię Czubaszek. Pisarkę, dziennikarkę, satyryczkę i poetkę".

Słucham tego z lekkim zażenowaniem, a potem tłumaczę, że to byłoby naprawdę cudowne, gdyby cokolwiek z tego było prawdą. A nic nie jest! Bo dziennikarką byłam tylko cztery lata na studiach. Pisarką też nie jestem, bo poprzednie książki to były zbiory słuchowisk, czyli utwory napisane lata temu do radia. A moje dwie ostatnie książki napisał Artur Andrus. Ja tylko gadałam. To, co mówiłam, on spisał, a ja nawet tego nie przeczytałam. Przecinka nie poprawiłam! Może chociaż jestem satyryczką? No, nią też się nie czuję, bo znałam zbyt wielu tak doskonałych autorów, że nie mogę się z nimi nawet porównywać. A poetką? No w życiu!

Więc próbuję prostować te banialuki, które o mnie opowiada dyrektorka biblioteki. I widzę na twarzach ludzi niedowierzanie, a potem kiwają głowami, pokazując, że załapali żart. Domyślają się, że ja tylko kokietuję.

To mnie okropnie denerwuje.

Ponieważ u nas w Polsce autoironia i dystans do siebie właściwie nie występują, więc gdy ja mówię coś o sobie niepoważnego, to jest to traktowane jako kokieteria. Jak mnie to wkurza! Bo ja nigdy kokietką nie byłam. Nawet w czasach młodości, kiedy jeszcze interesowały mnie sprawy męsko-damskie. Ale nawet dziś na pewno nie kokietowałabym tym, że jestem stara.

Na spotkaniach autorskich mówię wprost, że mam siedemdziesiąt pięć lat i jestem już zmęczona życiem. I zawsze w tym momencie zaraz ktoś się wyrywa: „Ach, niech pani tak nie kokietuje!". No, ludzie! Na miłość boską! Czym tu kokietować?! Idiotyczne. Mówię, że nie mam talentu do pisania, najwyżej smykałkę. Przecież nigdy nie marzyłam o tym, żeby pisać jakieś głupoty. I znów słyszę: „Ależ pani kokietuje!". Czyli co? Uważam, że jestem wspaniałą, uzdolnioną małą pisarką (kiedyś małą, a teraz jeszcze mniejszą, bo ludzie na starość się kurczą) i marzę tylko, żeby ktoś zaprzeczył, gdy mówię, że jestem stara i zmęczona?

No, ludzie... Czy nie można mnie choć raz potraktować poważnie?

*Książka miała premierę 23 września 2015 roku*

# Spis treści

## Krzysztof Materna  (70)

*Myślę, że sympatia Marysi do mnie zaczęła się od tego,*
*że oboje mocno jaraliśmy papierosy*

## Artur Andrus  (80)

*Marysia na wszystko patrzyła z dużym dystansem.*
*A na siebie – z największym*

## Małgorzata Raducha  (92)

*Marysia, którą znałam, była zupełnie inna, niż łatki,*
*które jej przypięto*

## Marcin Meller  (104)

*Wszystko jej się wybaczało, bo była absolutnie urocza*

## Michał Ogórek  (112)

*Marysia była taka sama prywatnie, jak publicznie. I to jest chyba*
*najfajniejsze, co można powiedzieć o człowieku*

## Lech Zubilewicz  (126)

*Byłem nadwornym kierowcą*

## Gabriela Niedzielska  (134)

*Bardzo lubiła spotkania w bibliotekach i rozmowy*
*z osobami, które tam przychodzą. Mówiła mi:*
*– Gabrysiu, to są inni ludzie!*